La Ligne de trappe

Données de catalogage avant publication (Canada)

Noël, Michel, 1944-

La Ligne de trappe

(Collection Atout ; 21. Aventure)
Pour les jeunes de 10 à 14 ans.

ISBN 2-89428-273-7

I. Titre II. Collection : Atout ; 21. III. Collection : Atout. Aventure.

PS8577.O356L53 1998 jC843'.54 C98-940064-6
PS9577.O356L53 1998
PZ23.N63Li 1998

Les Éditions Hurtubise HMH remercient le Conseil des Arts du Canada de l'aide apportée à son programme d'édition et remercient également la SODEC pour son appui.

Directrice de la collection : **Catherine Germain**
Conception graphique : **Nicole Morisset**
Illustration de la couverture : **Joanne Ouellet**
Mise en page : **Lucie Coulombe**

Éditions Hurtubise HMH ltée
1815, avenue De Lorimier
Montréal (Québec)
H2K 3W6 Canada
Téléphone : (514) 523-1523

ISBN 2-89428-273-7

Dépôt légal/3e trimestre 1998
Bibliothèque nationale du Canada
Bibliothèque nationale du Québec

Imprimé au Canada

Michel Noël

La Ligne de trappe

Collection **ATOUT**

dirigée par Catherine Germain

Michel Noël travaille à Québec, au Bureau des sous-ministres ; il est actuellement coordonnateur des Affaires autochtones. Mais Michel est un nomade de cœur. Tout jeune déjà, il suit sa famille d'un camp forestier à l'autre. Son père travaille pour la Compagnie internationale de papier (CIP) et la forêt est son terrain de jeux. « Nous habitions, dit-il, le même territoire que les Amérindiens et ma famille partageait avec eux de nombreuses activités sociales, religieuses et culturelles. Nos voisins étaient des Algonquins du Lac Rapide, du Lac Victoria, de La Barrière et de Maniwaki, et nous avions des ancêtres communs. »
Son intérêt pour la culture et l'expression artistique des peuples autochtones s'est développé dans son travail, mais aussi dans sa propre création : il est l'auteur d'une trentaine d'ouvrages (contes, livres d'art, théâtre, livres de référence) sur ce sujet. En 1997, il est lauréat du prix du Gouverneur général du Canada, en littérature Jeunesse, pour son roman *Pien* (éditions Michel Quintin).

Je remercie Sylvie Blanchet pour sa collaboration et tous les jeunes qui ont lu et commenté si judicieusement mon manuscrit.

Ligne de trappe : sentier que les trappeurs tracent et entretiennent en forêt, et le long duquel ils posent leurs pièges l'hiver.

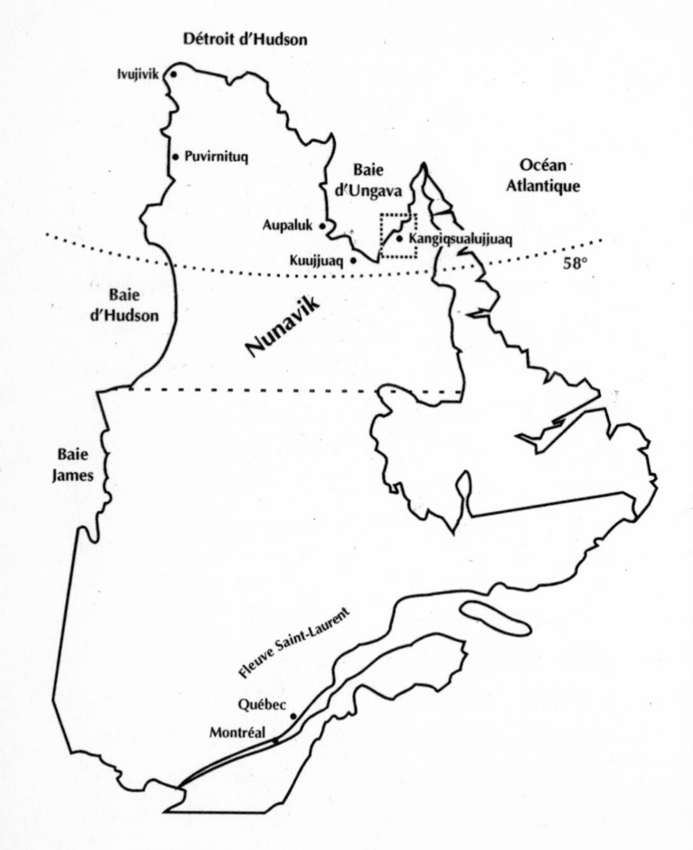
Détroit d'Hudson
Ivujivik
Puvirnituq
Baie
d'Ungava
Océan
Atlantique
Aupaluk
Kangiqsualujjuaq
Kuujjuaq
58°
Baie
d'Hudson
Nunavik
Baie
James
Fleuve Saint-Laurent
Québec
Montréal

1

UN CRASH

CLANG ! CLANG ! CLANG ! Ce maudit bruit d'enfer me tire d'une profonde torpeur et me ramène brutalement sur terre. Le vent hurle comme un déchaîné et, en moi, la colère gronde. Je suis furieux, je déteste le bruit. Depuis que je suis tout petit, j'ai une sainte horreur du bruit.

CLANG ! CLANG ! CLANG ! Ça cogne de plus en plus fort à mesure que je reprends mes esprits. On dirait mon grand-père forgeron en train de marteler, à grands coups de masse, une tige de fer blanchie au feu de la forge. Il s'élance, lève le bras bien au-dessus de sa tête et le rabat sur l'enclume. HAN ! HAN ! Le métal s'aplatit, éclate en mille étincelles, comme un feu d'artifice. HAN ! HAN !

La neige entassée dans mes bottes gèle mes chevilles. Les branches qui se sont accrochées à mon anorak me griffent la figure. J'ai froid aux pieds et aux poignets mais je suis vivant, bel et bien vivant et tout d'une pièce! Une douleur aiguë, brûlante, me barre le front, tandis que j'essaie péniblement de me redresser. Ma tête pèse une tonne et j'ai un goût âcre de sang dans la bouche. J'ai probablement saigné du nez car des glaçons de sang gelé raidissent ma moustache. Mais je suis vivant! J'entends ce satané vent qui hurle comme une meute de loups affamés. Et cette maudite tôle claque, claque, claque...

Il me semble avoir déjà souffert de ce mal de tête et de cette désagréable sensation d'étourdissement. Ça me revient peu à peu. C'était en patinant sur le grand lac Cabonga. Je chaussais des patins usés, trop grands pour moi. J'ai glissé dans une fissure, perdu pied et basculé dans le vide, les quatre fers en l'air. Ma nuque a tapé dur sur la surface vive, solide. Ah! Mon crâne a craqué comme frappé par la foudre et le soleil a chaviré. J'ai senti des ondes profondes me traverser le corps et courir dans ma tête soudain très lourde, tandis que mon sang chaud dégoulinait sur la neige et s'infiltrait dans la glace noire.

Tu parles d'une histoire! Voilà la première réflexion que je me suis faite. La première réflexion lucide. Quand je me trouve dans une situation extraordinaire, c'est ce que je me dis intérieurement: « Tu parles d'une histoire! » Ça me donne du recul, ça me permet de refaire surface et de juger les événements. Mais là, avec ce bruit infernal qui m'irrite, je sens des sueurs chaudes couler dans mon dos. CLANG! CLANG! CLANG! Je crache une épaisse salive au goût de sang et de sapinage.

Soudain, je pense au pilote. Où est-il? La Française? Aurèle? L'Écossais? Une foule de questions se bousculent tout à coup. Suis-je le seul survivant? Non! Ce n'est pas possible! Autour de moi, pourtant, il n'y a que le froid qui mord, la neige qui brûle, le vent qui hurle et les branches qui m'emprisonnent. La nuit est noire, opaque. Enfoncé dans la neige, je ne vois rien, j'écoute. Mais à part mes oreilles qui bourdonnent, je n'entends rien. C'est l'absence totale, un trou sombre dans la tempête qui fait rage.

Il me vient une folle envie de crier, mais crier quoi? «Au secours»? Ma langue est épaisse, rude, et je n'arrive pas à crier. De toute façon, je ne trouve rien à dire. Je me sens comme un intrus, perdu dans une maison hostile, hantée, une de ces vieilles demeures anglaises, battues par le vent et la mer, que l'on voit dans les films d'horreur.

En tâtonnant, je suis parvenu à me libérer peu à peu des branches qui me retenaient comme dans un filet. Je sors péniblement de ma prison. Tous les os, tous les muscles me font mal, comme si on m'avait roué de coups. Mes yeux s'habituent graduellement à l'environnement. J'étais assis à la droite du pilote. Il devrait donc se trouver quelque part à ma gauche. À quatre pattes, comme un chien qui flaire une piste, je cherche dans la neige. Je suis forcé de m'arrêter souvent, à cause de la douleur ou des branches enchevêtrées qui gênent mes mouvements. Je dois délirer car il me semble entrevoir des formes mouvantes qui me fixent de leurs yeux lumineux avant de disparaître dans la poudrerie.

Combien de temps avons-nous été ballottés, secoués dans les airs ? Je n'en sais rien. Je ne pensais qu'à une chose : me cramponner à mon siège. Je n'ai rien vu venir. Tout semblait opaque... ou plutôt blanc... je ne sais plus. Nous étions tous des fantômes. Ce dont je me souviens, ce sont les pétarades du moteur qui me cassaient les oreilles. Et puis soudain, le silence absolu quand le moteur s'est arrêté. Un silence léger, mince, impressionnant.

Oui ! Je me souviens maintenant ! Il faisait noir, horriblement noir. Il y a eu ce moment de répit, probablement ce que l'on appelle une seconde d'éternité, avant l'écrasement. Je revis cet instant intensément, dans mes tripes, dans mon ventre. J'ai le cœur comme... un cerf-volant qui manque de vent. Je sens l'avion suspendu dans le vide, au bord d'un précipice. J'entends une voix, celle de McAllister, l'Écossais. Il casse le français et jure sans cesse en anglais. Je pense qu'il a juré : *Goddam !* ou quelque chose de ce genre.

La fille n'a rien dit, sinon je m'en souviendrais. Elle avait les yeux fermés dur, les dents serrées. Quant à Aurèle, je ne sais pas. Il a dû réciter son acte de contrition et demander au Bon Dieu de lui pardonner les péchés auxquels il a rêvé toute sa vie, mais qu'il n'a jamais osé commettre. Le pilote, lui, ne s'est jamais avoué vaincu. Jamais ! Il a été un grand capitaine ! Il a tout fait pour remettre le moteur en marche, redresser le *Beaver**. Il donnait de grands coups de pied sur les pédales et martelait en vain le tableau de bord éteint : BANG ! BANG !

Je me suis arc-bouté en calant mes deux pieds au plancher, une main à plat sur les cadrans du tableau de bord, vide comme un ciel sans lune et sans étoiles, et l'autre arrimée à l'armature de mon siège. L'avion s'est mis à glisser sur son aile droite. Le vent sifflait. Tout cela m'a paru long, trop long. Je n'arrêtais pas de me répéter : « Bon Dieu de bon Dieu, que ça arrive et vite ! » Je n'en pouvais plus d'attendre dans le néant, de ne rien voir.

* Petit avion de brousse.

J'avais l'impression d'être au cirque, assis dans une grande roue emballée, qui tournait, tournait, tournait comme une folle à la dérive...

2

LES SURVIVANTS

Un petit jour blafard s'est installé sans que je m'en rende compte. Il a d'abord dégagé la cime élancée des épinettes noires avant de descendre au sol en traçant le contour arrondi des roches et des touffes de broussailles. Le vent se calme toujours au petit matin, comme pour reprendre son souffle.

Je continue de tâtonner en aveugle, guidé instinctivement par les CLANG ! CLANG ! en écho comme un sonar. Soudain, je m'arrête net, le cœur dans la gorge. Je tâte à nouveau, avec d'infinies précautions. Je crois avoir senti un corps mou sous ma main gauche, comme le corps d'un oiseau mort. J'enlève ma grosse mitaine pour en être bien certain. Oui ! C'est bien un corps, celui de la fille, la Française. Je perçois la douceur du molleton de son anorak. Je reconnais aussi son parfum.

À l'aéroport de Dorval, elle était arrivée peu de temps après moi, au poste de départ numéro 8 de Nordair. J'étais déjà installé confortablement dans un coin. Je n'avais qu'à lever le nez au-dessus de mon journal pour voir le va-et-vient des passagers et saluer les Inuits qui rentraient chez eux, chargés de sacs et de colis multicolores. Les hôtesses de l'air, les fonctionnaires et les voyageurs nordiques se connaissent tous, au moins de vue.

— C'est bien ici, le satellite 8, le prochain départ pour Kuujjuaq*? a-t-elle demandé, en prononçant le « kuu » comme un « q ».

J'ai tout de suite pensé: « Ouaouh! Une Française à bord! » C'est rare, mais pas vraiment surprenant. Le Nunavik** est cosmopolite. On y rencontre des gens de tous les pays attirés par la vie nordique, l'aventure, les Inuits, le travail, les gros

* Village nordique, dans la baie d'Ungava.

** Nom de la région nordique du Québec, qui signifie « la terre que nous habitons ».

salaires. Mais une femme comme celle-là, en tout cas, ça ne se voit pas tous les jours. Je l'ai détaillée: petite, les épaules carrées, une épaisse chevelure noire, frisée. Elle avait un air déterminé, téméraire, avec son nez retroussé. Elle portait un anorak rouge, flambant neuf, «made in Dorval», qui lui allait bien.

— Vous allez jusqu'à Aupaluk*? a demandé la préposée.

— Oui.

— Alors vous transférez sur Air Inuit à Kuujjuaq.

— Merci.

Ainsi donc, nous allions tous les deux à Aupaluk. Elle était probablement infirmière ou institutrice. Elle m'intriguait. Elle a enlevé son anorak. C'était bien une Européenne car les Européens passent leur temps à enlever et à remettre leur manteau. Dans le Nord, on met son parka le matin et on l'enlève le soir. Elle s'habituerait. Elle était belle à voir, moulée dans son épais chandail de laine grise. Je devinais ses formes rondes, mûres.

* Village nordique du Québec.

— Mademoiselle ! Hé ! Mademoiselle !

Son parfum délicat m'effleure brièvement : une odeur de mûre sauvage qui se perd aussitôt, emportée par le vent. Je la soulève avec précaution, impressionné et ému par ce corps inerte de femme dans mes bras. Je n'ose pas la secouer ni la bousculer, tandis que je répète avec inquiétude :

— Mademoiselle ?

— Oh ! Oh ! Oh ! Oh ! mon dos. J'ai mal au dos.

Elle est vivante ! Mais dans quel état ? Je soulève sa tête. Je vois à peine son visage enfoui dans son capuchon bordé de longs poils de renard. Je me rappelle qu'il faisait froid dans l'avion, c'est pourquoi nous étions tous emmitouflés dans nos vêtements. Je la vois de mieux en mieux maintenant, et tandis que je l'aide à s'asseoir, elle gémit de douleur.

— Ça ne va pas ?

— Je ne sais pas, répond-elle d'un seul souffle. J'ai mal des pieds à la tête... mais je n'ai rien de cassé... Je pense que ça ira.... Qu'est-il arrivé ? Où sommes-nous ?

Je n'ai pas le temps de lui répondre. Des crissements dans la neige se font entendre. D'un même élan, nous levons la tête. Devant nous, les branches s'agitent. Deux bras battent l'air à la manière d'une perdrix qui sort de son trou dans la neige. Le pilote? Aurèle? Non, c'est McAllister, l'Écossais, qui surgit et gesticule. Je le vois distinctement dans l'aube laiteuse. Il paraît très énervé et crie d'une voix rauque, angoissée:

— Aurèle? Aurèle? *Where are you, Goddamned?* T'es où, Aurèle?

Je me souviens avoir souvent croisé Aurèle et McAllister à l'aéroport international de Dorval ou dans des petits aéroports nordiques. Ils travaillent tous les deux pour la Compagnie de la Baie d'Hudson. Ce sont deux inséparables. C'est sans doute pourquoi on les appelle «les deux larrons». Ils font l'inventaire et la comptabilité de chacun des magasins de la compagnie. McAllister est un homme mystérieux qui parle beaucoup, mais jamais de lui-même. Certains racontent qu'il a déjà travaillé dans les mines, en Écosse. Un jour, écœuré, il serait parti faire la fête à Londres avec la paye des mineurs. Un mois plus tard, criblé de dettes et poursuivi par la police, il se serait embarqué clandestinement sur un bateau de la H.B.C*. Mais ce n'est qu'une rumeur...

— Aurèle, *Goddam! Where are you?*** hurle-t-il à pleins poumons.

— Au secours! Au secours! Aidez-moi! J'ai mal...

La voix d'Aurèle nous parvient faiblement. Nous nous traînons tous les trois péniblement, à quatre pattes dans les broussailles. Aurèle est effondré au pied d'un gros arbre pelé, déchiqueté. En l'apercevant, tordu par la douleur, nous en oublions nos propres souffrances. Aurèle agrippe McAllister :

— Ça fait des heures que j'appelle! Des heures et des heures! gémit-il, exaspéré et tendu. J'ai fini par croire que j'étais tout seul et que vous étiez tous morts. Ce qui nous arrive est terrible, terrible! Ah! je suis content de vous voir! Mais je ne peux plus bouger! J'ai

* Hudson Bay Company ou Compagnie de la Baie d'Hudson, fondée en 1670, la plus ancienne compagnie en Amérique de Nord.

** Maudit! Où es-tu?

mal ! Très mal ! Mais je suis content de vous voir ! Ah ! Je ne sens plus ma jambe !

Il serre sa jambe gauche entre ses mains. Son survêtement d'hiver est déchiré au genou. Une tache épaisse et sombre, comme de l'encre sur un papier buvard, imbibe le tissu de son pantalon. Il a déjà perdu beaucoup de sang et répète :

— Seigneur ! Ah ! Seigneur ! Quelle catastrophe ! Je n'en reviens pas !

La Française est la première à réagir :

— Ne vous en faites pas, dit-elle, ça va aller maintenant que nous sommes là. Nous allons vous installer confortablement.

Sa voix se fait douce, rassurante. À nous trois, nous le soulevons avec précaution, dégageons les branches autour de lui et l'appuyons contre le tronc de l'arbre. De toute évidence, sa jambe est en très mauvais état. La Française a mal au dos et McAllister clopine. Quant à moi, j'ai encore la tête lourde et au moindre effort, je vois des étoiles. Mais, par miracle, nous sommes tous vivants et dans un bien meilleur état qu'Aurèle.

Pauvre Aurèle! Je me souviens d'un jour où je l'avais rencontré, par hasard, dans un restaurant chinois de la rue Saint-Laurent, à Montréal. Le restaurant Hong-Kong. Il était en compagnie de sa femme et de ses deux filles, toutes deux dans la vingtaine. C'étaient de grandes filles minces, pas très belles, sèches comme leur mère. Visiblement surpris par cette rencontre imprévue, Aurèle s'était levé et m'avait présenté maladroitement à sa famille. À ma grande surprise, il bégayait tellement qu'il en était incompréhensible. Dans le Nord pourtant, Aurèle a la réputation d'être un boute-en-train, un gars avec de la repartie, toujours une blague à raconter, un frondeur...

Les voix de mes compagnons me ramènent brusquement à la réalité. Notre pilote est le seul qui manque à l'appel. Il faut le retrouver. Mais d'abord, il faut trouver un endroit à l'abri du vent afin d'allumer un feu, avant de geler tout rond. Le froid nous tient sur le qui-vive. C'est toujours le matin, à la barre du jour, qu'il est le plus intense, le plus redoutable. Le froid est impitoyable. Il tue sournoisement, sans que l'on s'en rende compte. Il endort ses victimes, les rend insouciantes et crée même l'illusion de bien-être.

L'arbre sur lequel nous avons appuyé Aurèle, une épinette, est cassé à deux mètres de hauteur. C'est là que nous avons décidé de nous installer. Il y fait moins froid car les longues branches touffues forment un toit en pente et nous protègent du vent. Nous nous mettons à l'œuvre, tous les trois, et agrandissons l'espace autour d'Aurèle. Nous bouchons les trous avec des branches, ramassant au passage tout ce qui peut brûler. De nombreuses branches mortes, sèches, jonchent le sol ou sont encore accrochées au tronc de l'arbre. J'entasse le bois et craque une allumette. Le feu fait aussitôt crépiter les brindilles résineuses. La petite flamme vacille, hésite, fume, saute d'une brindille à l'autre, se multiplie, grimpe et s'attaque finalement aux plus grosses branches.

McAllister s'est installé auprès de son compagnon de travail. La Française et moi, agenouillés devant le feu naissant, retenons notre souffle, les yeux fixés sur le tas de bois, les mains à plat sur les cuisses. Ça y est! La lumière jaillit, le feu crépite, prend de la vigueur et jette enfin un peu de chaleur. Notre abri précaire ressemble à un terrier, mais ce trou vaut mieux que rien. Déjà nous sommes un peu plus rassurés sur nos chances de survie.

— Bon! dis-je pour secouer l'engourdissement qui s'installe. McAllister et moi allons poursuivre les recherches pour trouver le pilote, le *Beaver* et peut-être aussi nos bagages ou du moins ce qu'il en reste. Vous, mademoiselle...

— Maréchal, dit-elle. Je m'appelle Maréchal.

Elle me tend la main et esquisse un sourire qui ressemble à une moue. Je suis frappé par ses yeux bruns, remplis à la fois de détresse mais aussi d'espoir et de ténacité. J'enlève ma mitaine pour lui serrer la main. Je suis mal à l'aise.

— Et moi, je m'appelle Matchewen. Enchanté euh... Maréchal.

Je me dis que c'est plutôt surprenant comme prénom, Maréchal...

3

QUELQUES PIERRES POUR UNE TOMBE

McAllister se fraie un chemin vers l'extérieur de l'abri, à quatre pattes, comme si nous sortions d'un igloo. Je le suis. Il jure comme un damné :

— *Goddam ! Ouch !*

Il boite et grimace mais cela ne l'empêche pas d'avancer pendant qu'il descend du ciel tous les saints qu'il connaît, en anglais et en français. Nous n'avons pas à marcher très loin. En s'écrasant, l'avion a déchiré la forêt sur une cinquantaine de mètres. La plaie est béante. Des dizaines d'arbres étêtés, pelés, des troncs cassés, fendus, hérissés, ainsi que de fortes odeurs d'essence et d'huile flottent dans l'air et nous indiquent le chemin.

Cette forêt de conifères m'intrigue. Au départ de Kuujjuaq nous volions franc nord, au-dessus de la côte de la baie d'Ungava, au cœur de la toundra arctique. Nous survolions un immense désert de roches lisses et de glace. Normalement, nous aurions dû nous écraser dans ce paysage désolé ou nous abîmer dans les eaux froides de la mer.

Le spectacle saisissant des débris de l'avion m'arrache à mes pensées. La carlingue immobile, inerte, éventrée, froide et grotesque est suspendue à un mètre du sol. La queue a été arrachée, les ailes sont tordues et enchevêtrées dans les arbres. Ce sont les longues têtes souples des sapins et des épinettes qui ont amorti notre chute vertigineuse. Stupéfait, McAllister laisse tomber :

— *Tabarnac man ! What a mess...* Quel gâchis !

J'en déduis que sous le coup de l'impact, nous avons tous été projetés hors de l'avion : Aurèle, qui était assis complètement à l'arrière, Maréchal, McAllister et moi. C'est ce qui nous a sauvé la vie. Ce pilote n'a pas eu la même veine que nous : de loin, je repère ce qui me semble être son survêtement bleu.

Tandis que la fumée de notre camp de fortune glisse sur le sol et serpente entre les arbres jusqu'à nous, poussée par le vent fouineur, les coups reprennent à nouveau : CLANG ! CLANG ! CLANG ! Ils sont plus faibles, plus espacés et plus lugubres aussi. J'ai l'impression que la tôle qui claque au vent sonne le glas. Je suis profondément troublé. Dans les airs, je n'ai pas eu le temps d'avoir peur. Je n'y ai même pas pensé. Mais là, après coup, je suis glacé, secoué. J'ai les jambes molles et le cœur qui s'emballe.

Nous progressons prudemment, de peur que la ferraille qui pend aux arbres, comme des décorations de Noël, nous tombe dessus. On se croirait dans un mauvais film sur la guerre du Vietnam. Le pilote est effectivement encore là dans le cockpit, à son poste, écrasé par une épinette qui a traversé le plancher et fracassé la vitre. Il s'est affaissé sur les commandes qu'il tient encore à deux mains. Nous convenons de le sortir de la cabine. C'est un jeune homme dans la trentaine, grand, mince, athlétique. La tâche n'est pas facile car ses membres sont déjà raides. Il a perdu beaucoup de sang qui a gelé à ses pieds et sur son survêtement de pilote. Nous arrivons finalement à le sortir, centimètre par centimètre, jusqu'à ce qu'il bascule dans le vide, entraîné par son propre poids, et tombe sur le sol. Nous parvenons tant bien que mal à l'allonger. Ni McAllister ni moi n'avons l'habitude des morts, aussi agissons-nous avec d'infinies précautions.

Nous nous sommes assis sur une pierre pour reprendre notre souffle, retrouver nos esprits et nous recueillir aussi. Nous réalisons brusquement que nous pourrions tous être morts, comme lui. Nous sommes à bout de force. Après un long silence, McAllister murmure :

— Qu'est-ce qu'on fait maintenant ?

— Il faut l'enterrer.

— Ici ? Mais tout est gelé ! *Hard rock !*

— Nous allons faire comme les Inuits, l'empierrer pour protéger son corps. Ce ne sont pas les pierres qui manquent.

— *Let's wait till tomorrow !* Attendons demain.

— Non. Je pense que c'est plus prudent de le faire maintenant. La forêt est remplie de prédateurs. Allons-y !

Nous déposons le corps dans une dépression de terrain après l'avoir bien emmitouflé dans son anorak. Puis, nous empilons autour de lui toutes les roches et les branches qui nous tombent sous la main. Ainsi, peu à peu, nous érigeons la tombe de notre pilote. Maréchal, qui s'inquiétait de notre longue absence, nous rejoint au moment où nous posons les dernières pierres : de gros galets que nous avions mis de côté à cet effet.

— C'est un vrai cauchemar, dit-elle en regardant tout autour.

Elle enfouit son visage dans ses mitaines. Elle a compris ce que nous sommes en train de faire. Nous restons plantés debout tous les trois devant la pyramide de pierres froides et tristes qui émerge du sol. Déjà, la neige poudreuse s'y accroche, la blanchit. Nous aurions souhaité nous recueillir davantage mais il fait trop froid pour rester inactifs. Le temps presse. Le froid s'accentue sur l'arête et la tempête a repris de plus belle. Elle nous pousse dans le dos. Le vent pince, mord, s'infiltre dans nos vêtements et balaie les roches chauves. McAllister demande à Maréchal :

— *How is Aurèle ?**

— Il va mal, répond-elle. Sa jambe le fait souffrir. Ici, il n'y a pas moyen de le soigner convenablement, nous n'avons rien, ni pansements, ni médicaments. J'ai entretenu le feu. Je l'ai tenu au chaud le plus possible. C'est tout ce que je peux faire.

Nous décidons d'aller nous réchauffer un peu et de revenir fouiller les débris de l'avion plus tard. Il faudra récupérer tout ce qui peut nous être utile. J'ai repéré la queue, qui est aussi la soute à bagages.

Se réchauffer, c'est beaucoup dire. Notre abri est quand même plus accueillant et plus confortable que le grand air. Aurèle est nerveux. Son visage est en sueur. Ses mèches argentées qui émergent d'une tuque rouge vif à l'effigie du club de hockey « Les Canadiens » collent à son front. Sur son bonnet, on peut lire en grosses lettres noires, sur une bande blanche, « Les Glorieux – Canada ». Nous formons un cercle serré autour du feu.

* Comment va Aurèle ?

Nous restons habillés. Il n'est pas question d'enlever même nos mitaines. Notre silence est certainement très éloquent. Aurèle a deviné que le pilote est mort. En voyant son air inquiet, je l'informe de ce que nous avons découvert :

— Je pense que nous devons la vie aux épinettes sur lesquelles nous sommes tombés, dis-je. Le pilote est mort sur le coup. Nous venons de l'empierrer près de la carlingue. Le connaissais-tu ?

— Oui... un peu, répond Aurèle. Il s'appelait Marc. Marc Lachance. Il pilotait un peu partout dans le Nord. C'est un travail risqué : les journées sont longues et les tempêtes sournoises dans la région. Il habitait Kuujjuaq. Je l'ai vu à quelques reprises à l'épicerie avec sa femme, à La Baie. Ils ont deux enfants, la tête blonde et les yeux bleus comme leur maman.

J'avais pris soin de retirer les effets personnels des poches du pilote avant de l'inhumer. Je les étale sur mes cuisses : un canif suisse, un vieux porte-monnaie en cuir brun, usé, gonflé, ainsi qu'une feuille de papier pliée sur laquelle je lis :

Cher Marc,

Tâche de revenir le plus tôt possible. Si tu le peux, rapporte du poisson. Je t'attendrai avec les enfants à l'aéroport. N'oublie pas, nous soupons chez les Kudluk samedi soir.

Je t'aime.

Ta Isabelle. xxx

4

UN ABRI DE FORTUNE

Nous nous remettons à l'ouvrage. Sous les arbres, le sol est jonché de branches sèches que la neige n'a pas encore recouvertes. Il faut ratisser les environs et ramasser tout ce qui peut être utile. Je sais que la nuit sera terrible et dans le Nord, elle tombe vite. Nous faisons une corvée de bois sec et avivons la flamme.

Il est grand temps de récupérer nos bagages. Ils sont probablement restés coincés dans la soute ; à moins qu'ils ne se soient éparpillés aux quatre vents... Heureusement, il n'y a pas eu d'incendie. Nous repartons : Maréchal, McAllister et moi. Étant donné que nous connaissons maintenant les lieux, nous retrouvons sans peine la queue tordue du *Beaver*. Plus légère que le reste de l'appareil, elle s'est détachée de la carlingue et elle gît, plusieurs mètres à l'écart. Aurèle, appuyé au fond, a été littéralement catapulté dans le vide. C'est lui qui avait insisté pour prendre cette place peu confortable, prétextant qu'il voulait dormir. Quel coup !

Mince et sec, McAllister se dévoue et grimpe dans la soute en poussant la porte qui ne tient plus que par un bout de fil. C'est elle qui battait au vent. Je l'accroche à deux mains et l'arrache complètement.

— Attention ! lance l'Écossais.

Il commence à déverser pêle-mêle le contenu de la soute : les gros boudins bruns des deux larrons, estampillés H.B.C., ainsi qu'une caisse de livres de comptabilité et des piles de feuilles quadrillées, noircies de chiffres minuscules. Elles s'éparpillent aussitôt, emportées par le vent. Enfin, j'aperçois mon sac à dos. Je suis heureux de le retrouver. C'est un vieux compagnon de voyage et je connais son contenu. McAllister fait ensuite basculer une grosse malle qui tombe lourdement sur le sol. C'est celle de Maréchal. Elle est toute décorée d'étiquettes multicolores et de drapeaux de différents pays. On dirait la malle d'un vieux matelot au long cours.

— Et voilà ! conclut l'Écossais.

— Tu ne vois rien d'autre ?

— *No !*

— Tâte au fond. Il y a un petit compartiment. Fouille bien. Peut-être sur le côté ?

Je sais que les pilotes de brousse transportent parfois des outils, de la nourriture sèche, une carabine... une trousse de secours.

— *An axe ! I found an axe !*

C'est bon, il a trouvé une hache, presque un trésor. J'ai vécu toute mon enfance en forêt, dans une communauté amérindienne. J'ai souvent vu les trappeurs partir pour de longues randonnées en emportant seulement un peu de thé, quelques allumettes et une hache bien aiguisée. Je connais l'utilité de cet outil en forêt.

Je m'apprête à crier : « O.K. McAllister ! » Mais je m'arrête au moment où il sort la tête de l'appareil. Et je lui demande plutôt :

— Dis donc, qu'est-ce que c'est ton prénom ?

Il paraît surpris de ma question.

— *Me?*

— Oui... *Yes...*

Nous attendons sa réponse, Maréchal et moi. L'Écossais est visiblement embêté. Il hésite et finit par répondre :

— McAllister, tout le monde dit McAllister. C'est aussi mon prénom... *et poui,* si je te le disais, *you would not believe me...* Tu ne me croirais pas !

Et il se laisse choir. Nous rions tous les trois et ça nous fait du bien. Puis nous récupérons des pans de toile et de tôle, des canettes vides, des bancs, des morceaux de carton et des bouts de fil. Ainsi, nous pourrons améliorer notre refuge. Dans un dernier effort, nous transportons tout ce butin dans notre terrier, qui est juste à côté.

La hache s'avère fort utile. J'agrandis le trou en coupant quelques grosses branches qui sont relocalisées ou couchées sur le sol. La grosse malle sert d'appui-dos. Nous recouvrons les bancs de toile et les alignons. Tout est précieux : tôle, vêtements, morceaux de carton... L'important, c'est d'isoler le refuge, de le protéger du vent et d'emprisonner le plus longtemps possible, sous l'épinette, le peu de chaleur que dégage le foyer que nous avons allumé près d'une grosse roche en saillie. Avec le marteau de la hache, je martèle un morceau de tôle et lui donne la forme grossière d'une casserole. Puis, je la bourre de neige et je la dépose sur le feu.

5

LA FAIM

Comme le temps file ! C'est déjà la fin de la journée. Notre première journée, perdus on ne sait où dans l'Arctique québécois. Dans le feu de l'action, nous avons oublié nos misères et nos douleurs, poussés par notre instinct de survie. À l'intérieur de notre camp, la fumée cherche son chemin. Elle colle d'abord au sol, pique les yeux, irrite le nez et la gorge. Puis, dès que la roche se réchauffe et emmagasine la chaleur, la fumée glisse sur la paroi polie et monte dans le couloir d'air chaud qui lui sert de cheminée. Nous pouvons alors mieux respirer. Le bois sec diffuse une chaleur vive qui dégourdit les muscles. Ils nous font d'ailleurs de plus en plus souffrir ; mais à part quelques grimaces et grincements de dents, personne ne se plaint.

Le seul fait d'arrêter nos activités a ravivé notre appétit et nos angoisses. Manger ! Se nourrir devient tout à coup un besoin impérieux. Il faut conserver nos forces. J'essaie de me rappeler où et quand j'ai mangé pour la dernière fois. Combien de temps peut-on survivre sans manger ?

Hébétés et silencieux, nous sommes perdus dans nos pensées. J'imagine que chacun essaie de répondre aux mêmes questions. La lassitude se lit dans nos yeux sombres et nos visages tirés. L'eau frémit dans la casserole.

— O.K. ! dis-je tout à coup. Assez ruminé ! Je vous offre le thé ! Qu'en dites-vous ?

— Ah ! La bonne idée ! s'écrie Maréchal. Du bon thé chaud !

Aurèle et McAllister approuvent.

— *Tea time !*

L'Écossais remet de la neige dans l'eau chaude. Elle flotte, s'enfonce, puis disparaît rapidement. Je tire du fond de mon havresac une poignée de sachets de thé et j'en lance deux dans la casserole. L'eau se dore lentement. Une odeur de thé embaume l'étroite cabane et se mêle à celle des pins. McAllister transforme les canettes de *Coca-Cola* en deux tasses que nous partageons. Aurèle, encouragé par notre soudaine bonne humeur, se redresse, enlève sa tuque et esquisse un sourire. Il oublie un instant sa jambe blessée.

Maréchal et moi partageons la même canette. Elle a une façon bien à elle de boire : elle le fait amoureusement. Elle enlève ses mitaines, emmitoufle la canette entre ses deux mains et hume longuement. Puis elle boit le thé brûlant à petits traits, les yeux mi-clos. Je l'imite et je trouve que mon breuvage est bien meilleur, plus réconfortant. Les Amérindiens et les Inuits connaissent de nombreuses histoires sur le thé. Ils racontent comment le thé a sauvé la vie de personnes égarées ou bien épargné d'autres victimes de la famine. Le thé ne fait pas que donner de l'énergie, il stimule le courage, soutient le moral. Tant qu'il y a du thé, dit-on chez nous, il y a de l'espoir.

En savourant notre infusion, nous convenons de faire l'inventaire de ce que nous avons. McAllister commence :

— Aurèle et moi, on a nos *sleeping bags*[*], deux sacs de chips barbecue et aussi deux barres de chocolat ! *Not much to eat !*[**]

Maréchal enchaîne :

— Moi, j'ai un « duvet », deux sacs de noix, des biscuits, un saucisson sec du pays que mon père m'a donné, et des vêtements. C'est tout ce que j'ai d'utile.

À mon tour maintenant :

— J'ai moi aussi un sac de couchage, ainsi que des allumettes, un sac de tranches de fromage Kraft, une dizaine de sachets de thé et un petit pain de seigle.

Je conclus en ajoutant :

— C'est bien peu tout ça ! Mais en faisant attention, nous tiendrons quelques jours. L'important c'est de se rendre au lendemain. Ce soir, nous mangerons le pain et le fromage avec du thé.

— À cette heure-ci, on doit commencer à s'inquiéter quelque part, murmure Aurèle.

Sa voix sonne étrangement dans le monde qui nous entoure. Seul le feu crépite, personne ne bouge. Il a posé tout

* Sacs de couchage, duvet.

** Pas grand-chose à manger !

haut la question que nous nous posons tous au fond de nous-mêmes. Il poursuit à haute voix sa réflexion :

— Le pilote ne s'est pas rapporté à sa base. Ça fait maintenant vingt-quatre heures que nous sommes partis de Kuujjuaq. L'avion n'est pas rentré et on nous attendait à Aupaluk... Qu'en penses-tu le Métis ?

Je réponds en hésitant :

— Peut-être, mais je doute un peu... Les pilotes ont une sacrée vie ici : des voyageurs qui ne sont pas au rendez-vous le jour prévu... un avion qui ne rentre pas à sa base... C'est du quotidien. Ça se produit si souvent que les gens n'en tiennent plus trop compte ! Du moins la première journée...

— Mais on m'attend à Aupaluk ! proteste Maréchal. Je commence l'école demain matin ! Quelqu'un va s'inquiéter tout de même !

— Tant mieux ! C'est bien à espérer. Mais vous savez, lui dis-je en me faisant l'avocat du diable, ici, on n'a pas tendance à s'inquiéter facilement. Comme il n'est pas rare qu'un petit avion change de cap pour accommoder un gros client ou évacuer d'urgence un blessé ou un malade, on croira d'abord que quelqu'un s'est trompé de date. De toute façon, personne ne s'en fait jamais durant les deux premiers jours. Il faut donc nous rendre à l'évidence : nous sommes en vacances forcées. À mon avis, il serait plus prudent de nous préparer à l'attente et de nous organiser en conséquence. D'autant plus qu'il y a toujours de la tempête dans l'air et trouver un avion écrasé sur ce vaste territoire, c'est comme chercher une aiguille dans une botte de foin...

— *Goddam !* C'est pas encourageant ! s'exclame l'Écossais.

Ma réponse est moins dure :

— Il vaut mieux être réaliste et prudent McAllister ! Ce n'est pas le bois qui manque ; en se rationnant, on a de la nourriture pour quelques jours... deux... trois. Et puis, on a eu de la chance jusqu'ici, non ? Il n'y a pas de raison pour qu'elle nous quitte maintenant.

Une neige fine et constante tombe comme un rideau de mousseline que le vent secoue. Le ciel est profond, insondable, fermé. Je m'occupe de la dernière corvée de bois de chauffage pendant que

Maréchal et McAllister étendent les sacs de couchage sur les sièges de toile. Nous dormirons côte à côte, assis sur notre banquette précaire, les pieds vers le foyer, le dos au vent. L'arrêt d'une heure a engourdi nos muscles, aussi avons-nous toutes les peines du monde à nous relever et à marcher. Nos articulations nous font souffrir le martyre. Nous ressentons, plus vivement que jamais, dans notre âme et jusque dans la moelle de nos os, les effets du crash, du manque de nourriture et de l'isolement.

Nous mettons longtemps, à la seule lueur des flammes, à nous organiser convenablement pour la nuit. Je sais que notre vie dépend de notre réserve de bois. Nous n'avons pas besoin d'un gros feu, l'important est qu'il soit constant. La hache pèse une tonne au bout de mes bras tandis que je ramasse tout ce qu'il y a autour et que je ratisse les branches en surplus dans l'abri. Demain, il faudra faire la récolte plus tôt.

McAllister s'est installé à une extrémité du banc, Aurèle et Maréchal sont au centre. Je ferme l'autre bout, près de la réserve de bois, car j'entretiendrai le feu pendant la nuit. Les sandwiches au fromage sont mastiqués lentement, accompagnés de petites gorgées de thé chaud. Dès que l'eau baisse dans le chaudron, McAllister, qui est près de l'entrée, s'empresse de le remplir de neige. C'est un travail fastidieux car il faut beaucoup de neige pour obtenir une simple tasse d'eau. Mais tout compte fait, serrés les uns contre les autres, nous ne sommes pas si mal installés.

6

OÙ SOMMES-NOUS ?

La nuit s'épaissit davantage. Elle tombe comme un immense rideau de scène, mystérieux et menaçant. La nuit nous isole du reste du monde. Nous ne savons plus ce qui se passe à deux mètres de nous. Il n'y a plus d'arbres, plus de ciel, plus de terre. Toutes les formes disparaissent. Le froid s'intensifie, nous griffe le dos, nous saisit par le cou tandis que nos pieds, près du feu, bouillent dans nos grosses bottes. Le silence est tout à coup total, insupportable. Malgré un épuisement extrême, personne ne se laisse emporter par le sommeil. Nous sommes nerveux, aux aguets. Encore une fois, c'est Aurèle qui crève l'abcès.

D'une voix blanche, caverneuse, il me demande :

— Dis, le Métis, as-tu une idée de l'endroit où nous sommes ?

Aurèle connaît le Nunavik. Il sait que cette question, je me la pose tout comme lui depuis que je suis sorti de ma torpeur. J'y ai pensé toute la journée, mais je gardais mes réflexions pour moi. Je pèse chacun de mes mots et les entends qui rebondissent dans la nuit :

— Où sommes-nous? Je ne vois qu'une seule possibilité, mais elle me paraît pour le moins farfelue.

Je commence doucement à rappeler que nous volions carrément au-delà de la ligne des arbres, direction nord, au-dessus de la côte ouest de la baie d'Ungava, à des centaines de kilomètres du moindre petit arbre. Or, nous avons atterri au cœur d'une forêt de mélèzes, d'épinettes et de sapins... Je ne connais qu'une forêt au nord du 58e parallèle, c'est celle de la rivière George, dans la région de Kangiqsualujjuaq*.

Maréchal, qui a maintes fois parcouru la carte du Nunavik des yeux et du bout des doigts, est elle aussi tout étonnée. Elle s'exclame :

* Village du Nunavik.

— Nous aurions dévié à ce point-là de notre route et fait des centaines de kilomètres au-dessus de la baie d'Ungava! Nous aurions traversé d'une côte à l'autre!

Je poursuis mon raisonnement :

— Nous sommes montés dans l'avion à Kuujjuaq à 19 h. Aupaluk est à deux heures de vol au maximum. Nous avions parcouru plus de la moitié du trajet quand nous sommes entrés dans une tempête de vent violent : un vent nord-ouest. Nous avons ensuite été poussés du côté est de la baie pendant deux ou trois heures, peut-être plus. À cette hauteur, les vents sont imprévisibles et parfois d'une force inouïe. Ils nous ont charriés comme un fétu de paille. Nous avons été tellement ballottés que nous en avons perdu la notion du temps. Et nous voilà ici, parmi ces arbres à qui nous devons la vie.

— On a eu de la *luck!** constate McAllister.

— Oui, tu as raison, lui dis-je.

* Chance.

Mais j'ajoute aussitôt :

— Par contre, je me demande si quelqu'un va penser à faire des recherches de ce côté-ci, si loin de notre trajet... On croira plutôt que l'avion s'est abîmé en mer. Je ne sais pas...

Le silence est retombé. Nous nous serrons les uns contre les autres pour avoir plus chaud et nous sentir en sécurité. Je suis content que Maréchal soit là. Mais je suis triste aussi, car elle mérite mieux que la situation précaire dans laquelle nous nous trouvons. Elle a serré le cordon de son capuchon autour de son visage. Les flammes du feu dansent dans ses yeux bruns, tout au fond de la couronne de poils de renard parsemée de cristaux de neige fondante. Je sens son corps chaud respirer et vivre, son cœur battre.

Je voudrais garder espoir, mais je ne peux m'empêcher de craindre le pire pour nous tous. Le temps joue contre nous. Finalement, à bout de force, je sombre dans de terrifiants cauchemars.

7

DES HURLEMENTS DANS LA NUIT

J'ai sursauté brutalement et, d'instinct, je me raidis. Je suis perdu ! Mes muscles sont tendus. Je ne sais plus où je suis. J'émerge d'une cascade de rêves affreux. J'ai vaguement dormi... cinq minutes ? dix minutes ? une heure ? Mon corps entier est secoué de frissons.

— Qu'y a-t-il ? me souffle Maréchal qui, à mes côtés, a été témoin de ma réaction.

Je lui réponds :

— Ne bougez pas.

— *What's wrong ?*[*] intervient à son tour McAllister, les yeux gonflés de sommeil.

* Que se passe-t-il ?

J'explique :

— Je pense que nous ne sommes pas seuls.

— V...v...ooyyons, t... ttu te fais d... des idées, bégaie Aurèle.

— Shhh... écoutez! du côté de l'avion...

Il n'y a rien de plus angoissant, la nuit, que de tendre l'oreille quand on ne voit rien. La forêt, aussi amicale soit-elle le jour, devient alors menaçante. Elle se peuple d'êtres mystérieux, se remplit de bruissements, de craquements et de chuintements, tous plus insolites les uns que les autres. Il est facile de s'imaginer que derrière chaque arbre et dans chaque bosquet se cache un être monstrueux, prêt à bondir.

Cette nuit, dans le vent, il y a des craquements qui ne mentent pas. Il y a effectivement quelque chose qui bouge, qui tourne autour de nous, qui nous épie tandis que nous demeurons immobiles, cloués sur nos sièges, scellés les uns contre les autres. Nous scrutons les ténèbres. J'ai posé ma main sur le manche de la hache, prêt à affronter toute éventualité.

La réponse vient d'elle-même, sinistre. Elle nous glace le sang dans les veines. Un hurlement long et lugubre déchire l'air et nous crève les tympans. Un seul, dans notre dos, à quelques mètres seulement. Le silence revient pendant quelques secondes puis le hurlement monte à nouveau. Une longue plainte qui met en branle tout l'orchestre. Un loup, à moins d'être vieux et malade, ne rôde jamais seul. La complainte du solitaire est accompagnée maintenant d'un nombre incalculable de voix rauques, certainement plusieurs dizaines, dispersées en cercle autour de notre fragile refuge.

Je m'empresse d'attiser le feu avec du bois sec. La flamme jaillit. Je sais que les loups sont près, très près de nous. Ils nous narguent. Par moments, j'ai même l'impression de sentir des odeurs de poil mouillé. Nous sommes tous les quatre terrorisés. Nous ne respirons plus. Et puis soudain, dans la forêt, des mouvements de course, des piétinements, des bousculades. Les hurlements s'estompent, se transforment en jappements et en cris aigus, pointus. La meute rage et détale dans les broussailles. Elle se rassemble du côté de la carcasse du *Beaver*.

Les loups se sont finalement évanouis dans la nuit, après nous avoir tenus longuement en haleine. Le silence revenu, McAllister et Aurèle ont succombé à la fatigue. Ils ne dorment pas vraiment mais flottent entre deux eaux. L'Écossais parle tout haut, en anglais, il jure. Aurèle gesticule, bégaie des mots confus, inintelligibles. Maréchal s'abandonne. Elle me semble loin, plongée dans un autre monde. Je n'ose pas bouger. Le jour naissant, le calme de la forêt et même le froid intense me rassurent. Je sens enfin mon corps se détendre et mon esprit s'apaiser. Je sais que je peux dormir sans crainte, au moins pour quelques heures. Le danger est passé pour l'instant, mais ce n'est que partie remise. Les loups sont tenaces, intelligents, astucieux et ils n'abandonnent jamais la partie. Ici, ils sont chez eux, sur leur territoire ; ils en sont les rois et maîtres. Nous sommes les intrus.

Par ailleurs, la présence d'un si grand nombre de loups signifie que la forêt est riche et qu'ils y trouvent de quoi manger :

du lièvre sans doute, de la perdrix, du caribou... Je suis persuadé qu'il y a du caribou, sinon ils ne seraient pas aussi nombreux. Cela confirme encore une fois ce que je pense, car le troupeau de caribous de la rivière George est le plus important du monde. Oui, ce doit être cela ! Nous sommes certainement dans la région de la rivière George, là où la rivière coule vers la baie d'Ungava, j'en suis de plus en plus convaincu. D'autant plus que dans cette région il n'y a que la vallée de la rivière George pour avoir des arbres comme ça.

Je ne peux m'empêcher de ruminer. J'essaie de visualiser dans ma tête la carte du Québec nordique : je vois la baie James, la baie d'Hudson, la baie d'Ungava. Je trace mentalement les lignes du littoral, j'évalue les distances à vol d'oiseau, je nomme les villages et je refais cent fois le trajet. Nous sommes partis de Kuujjuaq à 19 h. Je me souviens avoir vérifié l'heure sur la grosse horloge ronde Molson suspendue au mur de l'aéroport, juste au-dessus d'un impressionnant panache de caribou. Je trouvais que c'était un peu tard pour s'envoler vers le nord car les journées sont déjà courtes au début du mois de septembre. Nous devions atterrir à Aupaluk moins de deux heures plus tard, à 21 h. Le vol à vue est fascinant, la nuit, quand il y a de la neige au sol et un peu de lune. Du haut des airs, les yeux s'habituent à reconnaître les lacs et le littoral de la baie. Sa topographie se découpe comme des ombres chinoises sur un paravent. C'est émouvant aussi de voir apparaître au loin une tache de lumière scintillante : un village inuit perdu dans cet immense désert. Comment peut-on s'attacher à un coin du monde aussi désolé, s'y enraciner et s'y épanouir ?

Le vent se remet à souffler, soulevant des nuages de neige qui obstruent la vue. Sacré vent ! Fauteur de trouble, malin et déplaisant ! Il arrive d'abord mollement, sournoisement. Il enveloppe, effleure et cajole. Puis, il se fait de plus en plus musclé. Il s'accompagne de rafales jusqu'à en devenir arrogant. Il est la cause de notre malheur : nous avons été pris dans l'engrenage, il a fallu foncer droit devant, défier la tempête, risquer le tout pour le tout... Oui ! À bien y penser, je ne vois pas d'autre explication logique. Ce sont les vents d'une extrême violence qui nous ont littéralement transportés vers l'est, déportés jusque vers la région de Kangiqsualujjuaq. Un sacré bout de chemin : pas moins de 500 kilomètres ! Ce raisonnement me convainc et me rassure puisque je sais maintenant où nous sommes. Mais il m'inquiète aussi car j'ai de la peine à croire que quelqu'un puisse imaginer que nous avons échoué ici, tellement loin de la route habituelle.

J'entends Aurèle crier désespérément dans son cauchemar. Il est vraiment mal en point. À la grâce de Dieu ! C'est tout de même une chance inouïe de nous retrouver ici. Les arbres nous ont sauvé trois fois la vie : ils ont amorti notre chute, ils nous servent d'abri et, surtout, ils nous fournissent du bois de chauffage. Sans cette toute petite chaleur, nous serions déjà morts tous les quatre, gelés. Pourtant, nous sommes en septembre, au tout début de l'hiver. Tout peut arriver... Sommes-nous condamnés à mourir ici, isolés, seuls au cœur de cette forêt et à la merci de la première grosse tempête ou d'un froid intense ?

8

LA CORVÉE DE BOIS

Nous émergeons machinalement de notre léthargie. Chacun se remet d'aplomb sur la banquette et reprend peu à peu conscience de la situation. Nous sommes fripés, engourdis.

— Comment allez-vous Aurèle? demande Maréchal.

Il hésite :

— Ben... Je pense... Je ne sais pas... Ce matin, je ne sens plus ma jambe. Je n'arrive pas à la bouger. C'est comme si j'avais un grand vide là où se trouve ma jambe. Je ne sais pas...

Un long silence suit, jusqu'à ce que je lance :

— Pour le petit déjeuner, du thé à volonté et des petits biscuits !

En sirotant le thé, nous convenons du programme de la journée : d'abord s'occuper de la corvée de bois, ensuite préparer un amoncellement de branches tout en haut de la colline. Nous pourrons ainsi allumer un feu pour signaler notre présence, dès que nous entendrons le passage d'un avion ou d'un hélicoptère. Chacun s'active.

Les premières heures de la matinée ont été particulièrement pénibles. Le froid intense nous oblige à venir fréquemment nous réchauffer autour du feu. De plus, nous sommes considérablement affaiblis par le manque de nourriture et de sommeil. Nous travaillons lentement, chacun de nos gestes compte. Nous tombons vite sur les vestiges laissés par les loups de la nuit : d'étroits sentiers battus dans la neige, des traces jaunes d'urine au pied des roches et un bout de peau de caribou déchiquetée que la meute a partagée. À cet endroit, le sol est rougi de taches de sang. Maréchal et McAllister transportent des branches et des morceaux de bois que je découpe à grands coups de hache.

Les heures sont longues. Vers midi, nous jugeons que notre réserve de bois est suffisante jusqu'au lendemain.

McAllister s'est lui-même chargé d'en empiler sur la colline et de préparer le feu de signalisation. Je le rejoins au moment où il place, sous le tas de bois, toutes les factures de la H.B.C. qui jonchaient le sol ou s'étaient accrochées dans les branches et aux troncs des arbres. Il les froisse, les roule en boule et prend un malin plaisir à les enfouir sous le bois. Elles serviront à allumer rapidement le feu au cas où... L'Écossais se rend compte que je me suis arrêté et que je l'observe. D'un air narquois, il me lance :

— *At least here, they will be useful !*[*]

De retour au camp, pendant que nous buvons du thé, j'explique à mes compagnons que je souhaite explorer les environs. J'y songe depuis ce matin et ça me tracasse. Qu'y a-t-il au-delà de la colline ? Je compte suivre la crête vers l'est, longer la forêt, la traverser, si c'est possible, et revenir au cours de l'après-midi.

— Qu'est-ce que tu espères trouver ? me demande Maréchal.

* Ici, au moins, elles sont utiles !

— Je n'en sais rien, mais je ne peux pas rester là sans essayer de découvrir ce qu'il y a autour, sans connaître les lieux.

Je devine qu'elle aimerait m'accompagner mais elle n'ose pas le dire. Aurèle est sombre, inquiet. Il n'approuve pas mon départ. Il est d'avis que nous ferions mieux de rester regroupés. C'est McAllister qui tranche en disant :

— Vas-y, *but watch yourself !**

Tandis que je sors de l'abri, Aurèle me lance en boutade :

— T'en fais pas, si un avion passe par ici pendant ton absence, on lui dira de t'attendre !

* Mais fais très attention !

9

UNE CICATRICE SUR UN TRONC

J'ai piqué tout droit vers la colline. J'avais mon trajet en tête. Autour de moi, tout est immobile, givré, mystérieux et d'une beauté étonnante. Des veines noires traversent les grosses roches et s'enfoncent au cœur de la pierre comme des serpents qui s'enroulent sur eux-mêmes. Le paysage vallonné revêt une allure austère, presque lunaire. J'aime ce décor rude et sauvage. Il m'attire, me charme et m'effraie en même temps. J'ai le sentiment d'être le premier être humain à poser le pied ici.

Seul le vent ose rôder en ces lieux. Il balaie les galets, les lisse, les adoucit, les caresse. De mon promontoire, je vois la toundra toute nue, à perte de vue, qui forme une immense mer de roches bossues. Pas un arbre, pas la moindre brindille de verdure. Devant moi, le roc se creuse pour former une grande dépression oblongue parsemée de conifères : les épinettes à la frange sont rabougries, tordues par la bourrasque. À l'horizon, deux longs bourrelets rocheux enlacent la vallée, comme les bras bienveillants d'un géant qui mettrait ainsi les arbres sous sa protection, à l'abri du vent. Dans la forêt plus touffue, contrairement à la toundra, le sol est couvert d'un tapis de neige blanche. Le contraste est saisissant. La vallée coule vers l'est comme une grande rivière. Je sens naître en moi une vitalité nouvelle qui se répand à travers tout mon corps, me rappelant que je suis bien en vie et que c'est le moment présent qui compte. C'est vrai : je suis vivant des pieds à la tête, jusqu'au bout des doigts, et j'en éprouve une très grande joie.

Toutefois, la morsure du froid me rappelle que si je demeure ainsi, immobile sur la colline exposée aux quatre vents, je risque de me pétrifier et de me métamorphoser en *inukshuk**. Cette idée me fait

* Monument de pierres empilées, de forme humaine, construit par les Inuits pour orienter le voyageur.

sourire intérieurement tandis que je me vois transformé pour l'éternité en homme de pierre, comme ceux que les Inuits construisent sur le haut des montagnes pour baliser leurs routes. J'aime bien cette perspective de finir mes jours en *inukshuk*. Mais le vent glacial me fait changer d'idée et je choisis de regagner rapidement le microclimat qui entoure l'orée du bois.

Il était temps, je sens déjà blanchir le bout de mon nez ! En marchant, je constate que le terrain est légèrement en pente, la vallée s'incline... Si mes déductions sont justes, la rivière George doit se trouver quelque part là-bas, au-delà de l'horizon. Mais à quelle distance ? À combien de kilomètres ? Sans doute à des heures, peut-être même à des semaines de marche. Cette rivière coule sur des centaines et des centaines de kilomètres ; c'est l'un des cours d'eau les plus tumultueux du monde.

Au bout d'une heure de marche à la lisière de la forêt, je décide qu'il est temps de couper à travers celle-ci pour rejoindre l'autre côté de la vallée, que j'évalue à un bon kilomètre de distance. Ensuite, je remonterai vers l'abri car j'imagine que mes compagnons de malchance attendent avec impatience mon retour, ils doivent se demander où je suis.

Il fait moins froid au milieu des arbres. La neige y est cependant plus épaisse et je m'enfonce jusqu'à mi-jambe. Il me faut contourner des touffes d'arbres et enjamber de nombreux troncs morts. Je constate qu'il y a de la vie dans la forêt. Ici et là, j'aperçois des pistes de lièvres arctiques qui semblent venir de nulle part et qui s'évanouissent sous les branches des sapins. Là, des loups ont dépecé un caribou. Il ne reste de l'animal que quelques os, les sabots, du poil gris et du sang. J'imagine clairement la scène : la meute tourne inlassablement autour du troupeau, cherchant à isoler un jeune caribou sans expérience ou encore une vieille bête faible ou malade. L'animal apeuré trouve refuge sous le couvert de la forêt mais il est vite encerclé, cerné. Le chef de file lui bondit à la gorge et lui tranche la veine jugulaire. Et avant même qu'il ne soit mort, une dizaine de loups affamés le dévorent déjà à belles dents ! Je m'empresse de quitter ces lieux. Je sais bien que les loups s'en prennent rarement aux humains mais quand même... Je ne veux pas être l'exception qui confirme la règle. De plus, je ne me sens pas très à l'aise en ces lieux de carnage.

Je poursuis attentivement ma route sous un ciel de plus en plus inquiétant. La neige se lit comme les pages d'un grand livre. Je marche lentement tandis que mes yeux, comme des radars, balaient le sol et les environs. Je suis attentif aux moindres sons : les branches chargées de neige qui se balancent au gré du vent, la tête des arbres qui se frôlent, se frottent, grincent...

Tout à coup, je m'arrête net, incrédule, stupéfié, figé comme une statue dans une église. Je rabats le capuchon de mon anorak sur mes épaules et plisse les yeux pour mieux voir. Je ferais face à un monstre à trois têtes que je ne serais pas plus intrigué, plus stupéfait. Là, devant moi, à cinq mètres à peine sur le tronc écailleux d'une grosse épinette chevelue, je distingue clairement une marque sombre, comme une cicatrice dans l'écorce. Ce signe a été fait par un être humain : c'est un coup de taillant de hache. Un seul coup, franc et sec.

Je me précipite vers l'arbre, enlève mes mitaines et caresse la blessure grisonnante. Elle date de plusieurs années. Quatre, cinq ans peut-être. Quelqu'un est donc déjà passé par ici, c'est certain. J'en ai la preuve car cette marque ne ment pas. Et même si j'avais vu, ici en plein bois, la signalisation « rue Saint-Denis », mon cœur n'aurait pas tressailli à ce point dans ma poitrine. J'ai sous les yeux le genre de plaque qui balise une coupe de bois ou un portage qui mène d'un lac à un autre. Ou, mieux encore, il s'agit peut-être d'une ligne de trappe, ces marques dont les trappeurs jalonnent leur route, quand ils préparent à l'automne leur territoire de chasse. Ils les placent assez haut sur les troncs afin de les retrouver plus facilement l'hiver, lorsque la neige est haute. Si tel est le cas, cette marque n'est pas la seule. Je m'empresse de vérifier en tâtant du côté opposé. Je contourne l'arbre : oui ! en voilà une autre ! Ouaouh ! Est-Ouest ! Tu parles d'une histoire ! Quelle trouvaille ! Je rafraîchis les deux plaies avec ma hache et repars aussitôt à tâtons vers l'est, en scrutant les environs.

Comme un arpenteur, j'aligne les autres arbres et les garde dans mon champ de mire. Je sais fort bien maintenant ce que je cherche. Je suis à l'affût, le dos tourné à mon arbre. Devant moi, légèrement à ma droite, à trente mètres, j'aperçois une autre borne grisonnante. Je reste là d'aplomb, debout dans la neige et tente de reprendre mon souffle et mes esprits. Les coches sont parfois difficiles à repérer. Il faut savoir où regarder et avoir l'habitude de la forêt, l'instinct. La ligne de trappe épouse la configuration du terrain. Elle contourne les accidents, se faufile entre les arbres et les monticules rocheux.

Au fur et à mesure que je progresse, j'apprends à mieux connaître le trappeur, je devine sa route et je m'interroge : si j'avais à tracer une ligne de trappe, par où passerais-je ? Là, entre ces arbres ? Le long de cette colline ? Je cherche, je reviens sur mes pas. C'est comme si l'esprit du trappeur était encore présent. Je me sens dans sa peau. Je marche dans ses traces. Je partage sa solitude, ses rêves et ses angoisses. Peut-être s'est-il retrouvé un jour dans la même situation que moi ? Je refais ses gestes, je suis sur sa piste. Il a su choisir sa route. Il est intelligent, il connaît son boulot. Il a bien fait de marquer cette grosse épinette ; elle s'élève comme un phare. Tout de suite à côté il y a une colline, puis un vallon et hop ! la vue est cachée. On ne voit plus rien ni devant, ni derrière, sinon le grand mât de l'épinette. À gauche, à droite, il y a une grosse talle de sapins touffus, des saules nains, des aulnages, des cèdres enchevêtrés.

Je progresse lentement et tandis que j'avance, transporté d'enthousiasme, je me répète que toute ligne de trappe mène quelque part. En effet, tous les trappeurs jalonnent leur route de caches de nourriture. Ils construisent ici et là des abris temporaires où ils pourront passer la nuit, en cas de tempête... Si je suis ces marques jusqu'au bout, je vais peut-être parvenir jusqu'au camp principal. Mais qui sait dans quel état celui-ci se trouve ?

Emballé par ma découverte, je souhaiterais accélérer ma course. Mais je me ressaisis en pensant aux autres, restés dans l'abri. Il est impossible de pousser plus loin, pour l'instant.

10

LE RETOUR

C'est quand même à regret que j'ai rebroussé chemin. Je sens le besoin de partager mon enthousiasme et mes espoirs avec Maréchal, Aurèle et McAllister, mais je ne suis pas certain de la réaction d'Aurèle. Sur le chemin du retour, je réfléchis. Quelle est la meilleure stratégie? Comment présenter ma trouvaille? À mon avis, il faut plier bagage aussitôt que possible, demain matin.

Nous devons quitter le lieu sinistre de l'écrasement et partir sur la piste du trappeur. Je conviens que c'est risqué. Et si la piste menait nulle part? On ne sait jamais! J'hésite à demander à mes compagnons, déjà durement éprouvés, de se lancer dans une telle aventure... Pourtant, je reste convaincu au fond de moi-même que le risque en vaut la chandelle.

C'est là notre seule planche de salut. D'autant plus que nous sommes partis de Kuujjuaq depuis deux jours et qu'au cours de ces deux jours, il a neigé, venté et le ciel est demeuré couvert et bas, rendant toute recherche pratiquement impossible. Il faudra compter deux autres journées avant que les chercheurs n'explorent la région de la rivière George... s'ils jugent pertinent de venir jusqu'ici ! Je pense aussi à ce pauvre Aurèle. Comment parviendrons-nous à le déplacer avec sa jambe cassée qui lui fait déjà souffrir le martyre ?

J'accélère le pas. Le temps tourne et se gâte. Cela me fait peur. J'ai aussi les loups en tête. Ils sont plus discrets le jour, car ils digèrent leurs proies. Heureusement, ils semblent avoir à leur portée tout ce qu'il faut pour se nourrir : leur garde-manger est bien garni. Je ne voudrais quand même pas leur offrir un repas gratuit.

J'ai le vent de face. Il se plaque sur mon anorak, comme pour me ralentir, me harceler. Il me fait la vie dure. Je me penche en avant et fonce, obstinément. Ici, le vent mène tout à sa guise, par le bout du nez, selon ses caprices. Les animaux lui tournent le dos pour se protéger. Les arbres plient l'échine et les herbes s'écrasent tandis que le vent siffle, chante, murmure et vocifère. C'est l'enfer : il agite les branches souples des conifères chargées de neige ; il soulève une poudrerie qui brouille la vue et mouille le visage. La neige fleurit, le vent la bouscule et la traîne au ras du sol. Les Inuits ont bien raison de parler de l'esprit malin du vent. Ils le craignent davantage que l'ours polaire.

Je prends conscience que je suis au bout de mes forces. Mes tripes se nouent. En deux jours, j'ai épuisé une grande partie de mes réserves. C'est l'enthousiasme suscité par ma découverte qui me donne de l'énergie. Et je dois avouer qu'il y a aussi la présence de Maréchal qui me trouble ; son parfum, ses yeux, sa voix et son corps que je devine. Je n'ai jamais ressenti auparavant un tel attrait pour une autre personne et je me dis que c'est idiot, car je ne sais même pas ce qui se passe dans sa tête et dans son cœur...

L'odeur de fumée charriée par la rafale me sort de ma rêverie. J'ai marché comme un automate. J'entends maintenant des éclats de voix qui me réconfortent. Ce sont peut-être les seules voix humaines à des centaines de kilomètres à la ronde. Je me glisse à quatre pattes dans l'entrée étroite. McAllister et Maréchal ont trimé dur. Ils ont agrandi la pièce, étoffé les murs de branches, rechaussé avec de la neige et de la mousse. Nous sommes heureux de nous revoir. Je leur dis :

— Je vois que vous avez travaillé comme des castors !

Aurèle, les yeux rouges et les pommettes luisantes, s'est enroulé jusqu'au cou dans son sac de couchage. Il plaisante :

— Bienvenue à l'auberge du Voyageur nordique !

McAllister ajoute dans un anglais de cuisine :

— *If you like, you buy, if you don't like Bye ! Bye !*[*]

Nous éclatons de rire. Maréchal me sert un thé qui a perdu sa couleur à force d'être allongé. Mais la bonne humeur est

[*] Tu aimes, tu t'installes. Tu n'aimes pas, tu t'en vas !

un masque. L'angoisse est palpable derrière les traits tirés. Le temps fait son œuvre. Il mine les corps et le moral. C'est déjà le crépuscule. Nos silhouettes se découpent dans l'ombre comme des revenants autour du feu qui repose maintenant sur un épais lit de braises et de cendres.

11

LA LIGNE DE TRAPPE

Maréchal a sorti son saucisson et le coupe en fines rondelles. Nous en recevons chacun une poignée. C'est tout ce qui reste à se mettre dans l'estomac. C'est peu, mais c'est savoureux. Nous mastiquons lentement en buvant du thé chaud. Pour rompre le silence, je les complimente :

— C'est un vrai petit château ici !

— Oui... Oui... nous sommes de mieux en mieux, approuve Aurèle. Et toi, ta randonnée ?

Je tousse un peu avant de m'installer confortablement, comme si je m'apprêtais à faire un discours très important.

— Nous sommes manifestement à l'entrée d'une vallée, au début d'une forêt de conifères. La vallée descend régulièrement d'ouest en est. C'est un endroit giboyeux : des loups, du caribou, du lièvre, du renard, du ptarmigan*.

C'est encourageant.

Je fais une pause puis je leur annonce tout de go :

— Mais j'ai trouvé encore mieux que ça !

— Ah oui! quoi donc? demande Aurèle d'un air soucieux.

Je lui réponds sur un ton grave, en pesant bien mes mots :

— J'ai trouvé une vieille ligne de trappe !

Mon annonce tombe à plat. Aucune réaction. Personne ne saisit l'importance de ma découverte.

— Ce qui signifie... s'informe Maréchal d'une voix incertaine, qu'il y a des trappeurs dans la région ?

— Ça, lui dis-je, ce serait trop beau. Non. Ce qui est certain, c'est qu'il y en a eu.

— *When was that ?*** demande McAllister, sceptique.

J'évalue que leur présence remonte à quatre ou cinq ans. Puis j'ajoute :

* Perdrix blanche des zones nordiques.

** Quand ?

— J'ai vu des marques sur des arbres et je les ai suivies. Il s'agit bel et bien du tracé d'une ligne de trappe. Donc, il y a eu un ou des trappeurs ici au cours des dernières années.

Aurèle marmonne, plus pour lui-même que pour nous, comme s'il voulait se convaincre :

— Nous ne sommes donc pas les premiers à passer par ici. C'est rassurant. Il y a eu des trappeurs avant nous. Ils ont laissé des marques. Peut-être reviendront-ils cette année ?

Il reste songeur. Maréchal en profite pour poser la question qui lui brûle les lèvres :

— Et comment sont-ils venus jusqu'ici ?

J'avance quelques hypothèses : peut-être en hydravion ? C'est de plus en plus fréquent. Mais pour cela, il faudrait un lac ou une grande rivière pour l'amerrissage. Il est plus probable qu'ils soient venus d'abord en canot, à la fin de l'été, pour préparer leur territoire. Puis ils sont revenus sans doute en motoneige durant l'hiver. La motoneige a remplacé les chiens de traîneau et elle se faufile partout.

Dans le campement, la tension est forte. La conversation mobilise toutes les énergies. Les propos de chacun sont écoutés avec une très grande attention.

— Pourquoi ne sont-ils pas là cette année ? poursuit Maréchal.

— *Yes! Why not Goddam?** réplique McAllister, presque en colère contre les trappeurs.

J'explique qu'il est trop tôt. Nous sommes au tout début de l'automne. Le trappage ici commence généralement plus tard. Il y a alors plus de neige, il fait plus froid et les fourrures sont de meilleure qualité. Une ligne de trappe, c'est comme une ferme. Les « fermiers » de la forêt font des rotations pour permettre à leur territoire de se régénérer.

Ces dernières remarques découragent mes compagnons qui ont les nerfs à fleur de peau. J'ai l'impression de les avoir démoralisés tant ils semblent abattus tout à coup. Alors, je les relance rapidement en ajoutant :

* Oui, pourquoi, maudit ?

— Dans l'immédiat, ce qui est le plus intéressant pour nous, c'est qu'un trappeur pourrait avoir laissé sur cette ligne de trappe ses pièges, ses raquettes, son toboggan* et peut-être même des outils de première nécessité, une foule de choses utiles à la survie.... Et puis, dis-je enfin à bout de souffle et d'arguments, une ligne de trappe, ça mène toujours quelque part !

Maréchal est fascinée par mes propos. Elle me suit de près dans mon raisonnement. Les yeux interrogateurs, elle demande :

— Et ça mène où ?

Je réponds sur-le-champ :

— À une cabane ! Au bout de la piste, il y a toujours une cabane solide, confortable, un lac ou une rivière, un portage... Voilà ce que nous pouvons trouver !

Aurèle, en vieux renard, voit où je veux en venir. Il sait que j'ai des fourmis dans les jambes et que si je le pouvais, je partirais immédiatement. Il devine aussi que Maréchal est prête, elle aussi, à lever l'ancre. Il hoche la tête et conclut sans insister davantage :

* Luge, dans la langue indienne algonquine.

— Tu sais, cette vieille ligne de trappe se termine peut-être aussi en queue de poisson...

La conversation se poursuit sur le même ton. Nous pesons le pour et le contre de l'alternative qui s'offre à nous. Il n'est pas envisageable de partir dans l'immédiat. Par ailleurs, il est certain que nous ne pourrons pas tenir le coup bien longtemps dans notre terrier. Les grands froids peuvent nous tomber dessus d'une nuit à l'autre. Il suffirait d'une tempête de deux ou trois jours, accompagnée de vents violents, pour que nous épuisions notre bois de chauffage. Tout est possible...

Finalement, McAllister propose que nous partions très tôt le lendemain matin, Maréchal et moi, pour explorer la piste. Il restera avec Aurèle et s'occupera du camp. À notre retour, nous ferons le point tous ensemble.

Nous nous rallions sans difficulté à cette suggestion car il n'est pas question de partir aveuglément à l'aventure. Nous devons aussi tenir compte d'Aurèle dont l'état de santé nous pose un sérieux problème. Il est fiévreux et incapable de marcher. De plus, ses yeux enflés et bouffis restent très rouges. Il est parfois secoué d'une quinte de toux déchirante qu'il ne parvient pas à contrôler. Maréchal éponge alors son front qui se couvre de gouttelettes d'eau luisantes.

12

UNE LUEUR D'ESPOIR

Le saucisson nous a réconfortés. En plus de fortifier le corps, la nourriture remonte le moral. C'est ici, dans la rareté, que nous prenons conscience de son importance, de son caractère sacré. Je comprends maintenant pourquoi ma grand-mère algonquine vénérait à ce point la terre. C'est elle qui lui procurait la chair des animaux pour se nourrir, l'eau pour se désaltérer et se purifier, les plantes pour se guérir. C'était vraiment une terre-mère. Je vois, comme jamais auparavant, tous les liens qui existent entre le soleil, la terre, l'air, l'eau, les végétaux, les humains et les animaux.

La vie de *kokum**, ma grand-maman, était réglée par la quête de nourriture

* Grand-mère, en langue innue, langue des Algonquins.

quotidienne. Ses lendemains n'étaient jamais assurés. Au rythme des saisons, selon les migrations des animaux, elle et sa famille se nourrissaient d'esturgeons, de caribous, d'outardes, de porcs-épics, de bleuets... Elle m'a raconté avoir déjà eu faim au point d'en perdre la parole. Mais je ne me souviens pas l'avoir entendue se plaindre une seule fois. Au contraire, elle disait souvent qu'elle avait vécu les plus belles années de sa longue vie en forêt.

Elle en parlait avec passion. La vie avait été pour elle un défi constant. Elle décrivait amoureusement, dans sa langue chuintante et colorée, le calme des grands lacs à la tombée du jour, le chant langoureux des inséparables huards, le tumulte des cascades, les odeurs de sapinage et de sous-bois. Elle cessait de tricoter et posait ses mains noueuses sur son tablier à carreaux. Sa chaise berçante s'immobilisait. J'avais l'impression que la trotteuse de son horloge, posée sur le réchaud du poêle à bois, faisait un arrêt. Ses yeux noirs se noyaient dans des horizons bleutés. Elle rêvait...

Après la discussion, Maréchal et moi sommes sortis pour remplir la casserole de neige fraîche. Je pense que nous avions envie d'être seuls, tous les deux. La nuit est calme. Le vent est absent. Le ciel est profond et limpide. Les étoiles sont si grosses et si près de nous que nous avons l'impression de pouvoir les prendre dans nos mains pour les décrocher de la voûte céleste.

— Regarde! s'exclame Maréchal en pointant le ciel.

Simultanément, nous entendons un ronronnement sourd et constant qui vient de très loin. Une toute petite lumière, comme une luciole, scintille et se déplace entre les étoiles. Nous regardons tous les deux silencieusement l'avion jusqu'à ce qu'il disparaisse dans la voie lactée. Nous sommes sur la route du nord. Le supersonique vole à trente mille pieds d'altitude. Il a quitté Montréal il y a un peu plus d'une heure.

— C'est fascinant! laisse tomber la Française. Un avion bondé de voyageurs. Des pères, des mères, des enfants, là-haut au-dessus de nos têtes. Des gens de plusieurs pays, bien au chaud, confortablement installés, qui voyagent en direction de Paris... Londres... Amsterdam... Tokyo... Qui sait? Et nous sommes ici...

Elle s'interrompt en apercevant une étoile qui s'est tout à coup décrochée et qui tombe à l'horizon, en décrivant un grand arc de cercle. Je lui demande si elle a eu le temps de faire un souhait.

— Oui, répond-elle. Et je ne te le dis pas car si je le dévoile, la tradition veut qu'il ne se réalise pas. Ce souhait, c'est mon secret et l'étoile filante l'emporte avec elle. Tout ce que je peux te dire, me souffle-t-elle encore à l'oreille, c'est que je suis heureuse de partir demain matin avec toi.

Je suis à la fois ravi et surpris de ce qu'elle vient de dire. Ravi, car la présence de cette femme me plaît et parfois même me bouleverse. Je sens naître en moi un sentiment que je ne connaissais pas. J'ai connu des femmes au cours de ma vie, mais jamais l'une d'elles ne m'a troublé à ce point. Sa façon de parler me surprend car je ne suis pas habitué à un discours aussi direct. Je réussis tout de même à bafouiller :

— Nous faisons équipe !

— Oui d'accord, réplique-t-elle, nous faisons équipe !

13

LE JEU DES MARQUES

Cette deuxième nuit a été plus calme ; les loups chassaient sans doute sur un autre territoire. Nous étions tous tellement fatigués que nous nous sommes enfoncés dans un profond sommeil. Dès le lever du jour, Maréchal et moi sommes debout, prêts à prendre la route. Nous voulons nous donner le plus de temps possible, tirer le maximum de chaque minute de clarté.

S'il y a des changements à faire, c'est aujourd'hui ou jamais. Demain, il sera trop tard car nous n'aurons plus l'énergie d'entreprendre quoi que ce soit. La journée s'annonce maussade, il y a de la grisaille dans l'air. Je marche devant, dans les traces à peine visibles que j'ai laissées hier. Maréchal a ramassé une branche sèche dont elle se sert comme bâton de marche. Je l'imite et je me rends compte que mon bâton est fort utile. Nous arrivons rapidement à l'endroit où j'ai interrompu ma course, hier. Je montre à ma compagne les marques sur la grande épinette. Maréchal est devenue une véritable amie pour moi. J'ai l'impression que nous sommes de la même famille et qu'elle veille sur moi.

— À partir d'ici, lui dis-je, nous sommes en territoire neuf. Toi, tu restes près de la marque jusqu'à ce que j'aie trouvé l'autre. Puis, tu viens me rejoindre. C'est ainsi que nous avancerons, à relais.

Chaque marque sur un arbre représente une nouvelle aventure, presque un jeu, qui nous mobilise entièrement.

Les forêts sont en perpétuelle transformation. Certains arbres tombent de vieillesse ou ils sont terrassés par la tempête ; ils jonchent le sol et se désintègrent au fil des années. D'autres poussent et s'accrochent à la vie. Les ruisseaux se gonflent, changent de lit. C'est ainsi que l'environnement se modifie sans cesse. Notre vie est à l'image de cette nature. Nous sommes comme les arbres ; ils sont, en quelque sorte, nos frères.

Comme eux, nous naissons, poussons, mûrissons, mourons, tandis que d'autres autour de nous commencent une nouvelle vie...

Au bout d'une heure de marche, nous faisons une halte. En forêt, il faut savoir s'arrêter, se reposer, reprendre son souffle. J'aimerais faire un feu et nous préparer un bon thé fort, mais nous n'avons ni casserole, ni thé. De toute façon, il est préférable de ne pas nous attarder.

— Il était temps! soupire Maréchal. Tu as des bottes de sept lieues!

Il y a une plaque sur un arbre, juste devant nous. Avide d'en savoir davantage sur la ligne de trappe, Maréchal me questionne:

— Quelle longueur peut-elle avoir?

— Une bonne ligne peut avoir cent kilomètres. Mais ici, nous sommes dans une vallée; je doute qu'elle soit très longue. Peut-être une vingtaine de kilomètres? La ligne commence généralement près d'un cours d'eau, à l'embouchure d'une rivière. L'eau est un élément essentiel. Il n'y a pas de trappe possible sans eau à proximité. Le castor, le vison, la loutre, tous ces animaux vivent près de l'eau.

— Et qu'espères-tu trouver ? ajoute-t-elle sur un ton affectueux.

— Tout simplement... quelque chose qui nous aidera tous ! Pour ça, je me fie à mon instinct. Dans ma vie, il m'a rarement trompé et même s'il n'y a rien au bout de la route, j'aurai au moins la satisfaction d'avoir cherché, d'être allé le plus loin possible. Je ne me vois pas accroupi auprès du feu, attendant inlassablement, peut-être jusqu'à la mort, un avion hypothétique ! Si nous avons de la chance, nous trouverons un meilleur abri, une rivière, un endroit où nous pourrons nous procurer de la nourriture. Ce n'est pas impossible. La forêt est un garde-manger et elle a ses routes. D'ailleurs, nous en suivons une actuellement. Elle a aussi ses haltes, ses restaurants. Il suffit de bien la connaître, et qui sait ? une rivière peut mener à la mer...

Maréchal m'interrompt en posant une main sur mon épaule. Elle me dit en souriant :

— Tu parles comme mon agent de voyage du Club Aventure !

Nous éclatons de rire tous les deux, au cœur de la forêt. J'aimerais parler plus longuement avec elle, en savoir plus sur sa vie, lui demander ce qui l'a poussée à quitter son pays pour s'aventurer dans le Grand Nord québécois. Moi, c'est mon pays. Je vis ici, mes racines sont ici, comme ces arbres. J'allais à Aupaluk rejoindre des artistes inuits. Je m'occupe de la mise en marché de leurs sculptures. Mais elle, pourquoi a-t-elle choisi de s'exiler? Que faisait-elle dans cet avion? Malheureusement, le temps presse et je dois donner le signal du départ.

Nous recommençons le jeu des marques. Nous sommes cependant plus fébriles, plus inquiets. Le paysage change. Des arbustes touffus, trapus, arrondis comme de grosses boules de neige se multiplient sur notre route. Nous serpentons dans une forêt immense. Ici, le trappeur n'a certainement pas coupé au plus court ni choisi les passages les plus accessibles. Il a fait de longs détours pour ensuite revenir à son point de départ. Il est allé là où vivaient les animaux qu'il piégait.

14

UNE DÉCOUVERTE

Tout à coup, nous nous figeons simultanément dans nos pas. Nos regards se croisent, étonnés. Les mêmes questions se pressent sur nos lèvres :

— Entends-tu ?

— Qu'est-ce que c'est ?

Le vent nous joue-t-il des tours en s'amusant dans la tête des arbres ? Non, c'est autre chose et ça vient de notre droite ! Nous parcourons quasiment au pas de course la trentaine de mètres qui nous séparent d'un mur de conifères touffus et serrés. Nous fonçons dessus tête baissée, comme des taureaux à l'attaque, afin de nous frayer un passage à travers les branches lourdement chargées de neige et de verglas.

Nous sommes tous les deux essoufflés. L'air froid et humide que nous pompons à tout rompre dans nos poumons nous brûle la gorge. À nos pieds, une belle eau claire et vive gargouille, se faufile entre les cailloux, saute de galet en galet et se fraie un chemin sous la glace en dentelle, mince et translucide. L'eau s'engouffre, resurgit et poursuit son chemin. Cette découverte nous rapproche de notre but et nous redonne espoir. Pour gagner du temps, nous laissons tomber les balises sur les arbres. Nous repartons sur-le-champ, en suivant le ruisseau.

À mesure que nous progressons, le ruisseau s'élargit et devient même torrent, à l'occasion, car la pente est de plus en plus forte. C'est un beau ruisseau. Il coule sur un fond rocailleux, serpente dans les sous-bois, chante, saute, dégringole puis reprend son cours. Ici et là, nous croisons encore des marques sur les arbres. Elles nous confirment que nous sommes sur la bonne voie : la ligne de trappe serre le cours d'eau de près. Au détour d'une courbe, nous débouchons dans une clairière et là, juste devant nous, discrètement tapi sous les arbres, se dresse un vieux camp de bois rond, trapu et carré. Il a l'air d'être abandonné.

Nous restons là, paralysés, sans oser nous approcher davantage. Je propose enfin :

— Allons voir de plus près.

— Oui, reprend Maréchal à mes côtés, allons-y !

L'endroit est bien choisi. Devant, il y a la clairière et derrière, l'eau ainsi qu'une bonne réserve de bois de chauffage. Le camp a été construit entre les arbres, caché du vent et des tempêtes. Cette cabane de trappeur a l'allure d'une redoute, construite pour résister à tous les assauts. La porte est restée entre-bâillée et le seuil est couvert de neige. À l'intérieur, il y a des crottes d'ours sur le plancher. Quelques meubles rustiques gisent sens dessus dessous : une petite table en bois équarri à la hache, deux grosses bûches servant de sièges et, en guise de lit, un établi bas qui court le long de deux murs. Face à la porte, trône un petit poêle en tôle de la Compagnie de la Baie d'Hudson, rouillé, monté sur des galets empilés. Machinalement, nous relevons les meubles, faisons de l'ordre comme si nous prévoyions nous installer là. Je blague en disant :

— C'est pas le château Frontenac, mais c'est bien sympathique quand même!

— Oui! approuve Maréchal. C'est justement l'idée que je me faisais de ma cabane au Canada.

Je ne le crie pas à tue-tête, mais je suis heureux de notre découverte. Je suis convaincu qu'il nous faut déménager ici dès aujourd'hui : c'est notre seule chance de survie. Nous convenons de retourner rapidement à l'abri afin de prévenir nos deux compagnons. En sortant, nous prenons soin de bien refermer la porte. Accrochés au mur extérieur, il y a une sciotte que les trappeurs utilisent pour scier les billes de bois de chauffage ainsi qu'un long et étroit toboggan qui sert à transporter les ballots de fourrure et l'équipement. J'attrape le toboggan* que je traîne derrière moi dans la neige. Il est léger et glisse avec aisance. Il nous sera certainement utile.

Nous connaissons bien, maintenant, le chemin du retour. En filant, le plus droit possible, nous en avons pour quatre-vingt-dix minutes. J'entends Maréchal

* Luge, dans la langue indienne algonquine.

dans mes pas et je me retourne parfois pour m'assurer que tout va bien. Nos regards se croisent puis nous reprenons la cadence, toujours au même rythme, car j'ai appris avec mes amis les Amérindiens qu'en forêt, ce n'est pas la vitesse qui compte mais la constance, comme dans la fable du lièvre et de la tortue. Ainsi, nous avançons lentement mais sûrement.

15

LA DÉCISION

Depuis notre retour, la discussion est très animée dans l'abri. Aurèle refuse obstinément de partir, alléguant qu'il est toujours recommandé de rester près des lieux d'un écrasement d'avion, sinon les chercheurs ne peuvent pas retrouver les rescapés. McAllister est, quant à lui, plutôt en faveur du déménagement. Il n'ose cependant pas l'affirmer ouvertement de peur de déplaire à Aurèle, son inséparable compagnon de travail. Il ne veut pas lui causer plus d'angoisse.

Maréchal et moi décrivons le trajet et la cabane. Nous essayons de convaincre doucement nos compagnons en utilisant la persuasion. Nous faisons donc valoir qu'en plus d'être à l'abri du froid dans la cabane, nous y serions installés plus confortablement. Avec le poêle, la réserve de bois et l'eau à portée de la main, nous pourrions facilement tendre des collets, poser des pièges, pêcher... Il faut tout essayer; de toute façon, nous n'avons rien à perdre.

Aurèle lance enfin :

— Allez, partez sans moi ! Je resterai ici au cas où les secours arriveraient. De toute façon, je ne pourrai jamais vous suivre avec ma jambe. Je suis un fardeau pour vous. La cabane... c'est trop loin pour moi !

Je proteste aussitôt :

— Mais non, il n'est pas question de se séparer ! Nous sommes ensemble et nous resterons ensemble ! Et puis, si j'ai apporté le toboggan, c'est justement pour te traîner.

À son tour, Maréchal renchérit en précisant que dans le terrier où nous sommes, elle ne peut rien faire pour Aurèle, tandis que dans la cabane, elle pourra mieux soigner sa jambe.

Aurèle finit par se laisser convaincre et alors, tout se passe très vite. Les sacs de couchage sont roulés et empaquetés dans les boudins. La casserole, les tasses, et les quelques pièces de vêtements vont dans le havresac. Tandis que nous nous activons, nous tentons d'oublier la faim qui nous ronge et nous puisons notre énergie au fin fond de nous-mêmes. Heureusement, nous n'avons que de légers bagages.

Sur un morceau de carton, Maréchal a écrit avec son rouge à lèvres :

Est. Camp trappeur – Près ruisseau – 1 h 30 de marche – Pilote D.C.D.

Aurèle prend part aux préparatifs. Chacun sent son inquiétude et nous nous employons à le réconforter. Tandis que McAllister l'installe sur le toboggan avec les boudins, Maréchal et moi montons sur la colline pour allumer notre feu de signalisation. Nous tentons notre chance. Nous n'avons rien à perdre.

Maintenant que la décision est prise, nous sommes pressés, habités par un sentiment d'urgence. C'est un nouveau départ pour nous tous. Ce lieu où nous avons vécu pendant plus de deux jours nous apparaît de plus en plus laid et sinistre. Notre unique regret, c'est de quitter le pilote. Nos pensées vont vers lui. Ici, c'est comme s'il partageait notre quotidien, nos peines, nos misères et nos maigres joies. Nous avons l'impression de nous séparer définitivement de lui, de l'abandonner.

Maréchal ouvre la marche. Je la suis, la corde du toboggan passée sur les épaules puis sous les aisselles. Ainsi attelé, je me penche en avant de tout mon poids et je tire comme un cheval de trait. Aurèle est lourd, mais la traîne lisse file bien sur la neige. McAllister, havresac au dos, m'aide quand il le peut en poussant le toboggan avec mon bâton de marche, qu'il tient à bout de bras. Ainsi, à la file indienne, nous formons un étrange cortège tandis que nous nous enfonçons lentement dans la forêt, sans un regard en arrière.

Il neige de plus en plus. Le temps est maussade et le vent nous tourmente. Nos visages disparaissent, cachés par la couronne de poils des capuchons des anoraks. Il faut avancer sans cesse si nous ne voulons pas geler. Nous choisissons notre route avec précaution. Heureusement, il y a une légère pente, ainsi que des espaces dégagés. Notre esprit est mobilisé par l'effort que nous fournissons et le combat que nous livrons contre le froid et la fatigue qui s'imposent de plus en plus. Aurèle s'accroche au toboggan. McAllister, empêtré dans des branches ou debout sur un tronc d'arbre qui lui barre parfois la route, jure en s'arcboutant, comme si cela décuplait ses forces et lui donnait du courage :

— *Goddam !*

Mais la plupart du temps, nous nous taisons. Seuls nos courts halètements crèvent nos silences.

Nous arrivons finalement au ruisseau. Nous sommes à mi-chemin. Maréchal s'arrête là où nous avons fait une halte, le matin même. Le vent a balayé nos traces. Une couche de neige fraîche blanchit la forêt. Nous sommes ankylosés, à bout de forces. Nos gestes sont lents et lourds.

— *Goddam* ! *My feet are frozen !*[*] Je ne les sens plus, lance McAllister avec une pointe de colère dans la voix.

Aurèle ne répond pas. Il a perdu la voix. Nous le bordons tant bien que mal dans son sac de couchage pour le protéger davantage, mais nous ne pouvons

* Bon Dieu, mes pieds sont gelés !

pas nous attarder plus longtemps. Nous avons déjà perdu un temps précieux et nous luttons maintenant contre la mort, enveloppés par la bourrasque, pris dans la tourmente, fouettés par le vent. J'ai le menton gelé, des glaçons dans la barbe et la moustache pleine de cristaux. Je me tourne vers Maréchal mais je ne vois que ses yeux, luisant au fond de son hublot de poils. Il est temps de donner le signal :

— Allez ! Un dernier coup de cœur.

Nous nous accrochons, McAllister et moi, à la corde du toboggan comme ces percherons qu'on attelle à de lourdes charges de roches, dans les compétitions de force des fêtes foraines :

— En avant ! Hue !

Dans un ultime coup de reins, notre convoi s'ébranle. Nous plions l'échine, le souffle court, en respirant par les narines car l'air froid brûle nos poumons en manque d'oxygène. Maréchal bat la piste Elle suit consciencieusement le ruisseau, sachant fort bien qu'ainsi, nous allons aboutir à la clairière où se trouve la cabane. La visibilité est presque nulle. Il neige à plein ciel. Une neige qui tombe drue, à longs traits. Je perds la notion du temps en avançant comme un aveugle. Je ne vois que la tache rouge de l'anorak de Maréchal qui me sert de phare.

L'urgence de la situation nous donne l'énergie du désespoir, un second souffle. Il est surprenant de voir à quel point l'être humain est capable de dépassement dans de telles circonstances. Il faut marcher à pas réguliers, sans forcer la note, sans paniquer. Je pense à ces nombreux explorateurs du Grand Nord, qui ont sacrifié leur vie pour satisfaire leur besoin d'aventure, pour relever les défis les plus exaltants et les plus fous aussi. La voix surexcitée de Maréchal interrompt soudain le cours de mes réflexions :

— Matchewen ! On y est ! On y est ! Par ici !

Ses cris ont tiré mes deux autres compagnons de leur torpeur. Ils lèvent la tête et aperçoivent eux aussi la petite cabane qui se dresse, comme un phare, droit devant. Nous y sommes, les dieux sont avec nous !

Maréchal pousse la porte à deux mains et nous nous engouffrons avec la traîne avant de refermer derrière nous. Nous voilà enfin protégés du vent et de la neige. Mais la cabane est une véritable glacière. Vite, je bourre le poêle de brindilles sèches d'épinette et de morceaux d'écorce de bouleau qui traînent dans la boîte à bois, sous la banquette. Pardessus, j'empile quelques quartiers de bûches. J'aurais dû accomplir cette tâche le matin même, mais je n'y ai pas pensé. Je dois maintenant mobiliser toute ma volonté et me concentrer car le moment est crucial. Des trappeurs m'ont raconté que certains d'entre eux se sont déjà pétrifiés devant leur poêle, les mains gelées, enflées, gourdes, incapables de frotter la toute petite allumette qui allait leur sauver la vie. Il faut se concentrer, disent-ils, ne penser qu'au geste, faire le vide autour de soi. C'est ce que je fais.

À mon tour, mes mains tremblent et je ne sens pas l'allumette que je tiens entre le pouce et l'index. Je prends de grandes précautions pour ne pas rater mon coup. Je frotte l'endos du carton. La flamme jaillit. Je la pose, lentement, sous les brindilles. Une éternité s'écoule... Il ne se passe rien : l'allumette rougit et se consume. Je tire aussitôt une seconde allumette dont je dépose le bout sur le feu de la première qui est sur le point de mourir... Le petit tison rouge pétille, fume, disparaît puis explose comme une bombe. Seuls mes yeux sont conscients de ce qui se passe. Cette fois-ci, l'écorce de bouleau crépite, noircit, se roule, se tord, se boursoufle et prend feu.

— Vas-y ! Vas-y !

Je pousse légèrement la porte du poêle pour créer un appel d'air. Les flammes se multiplient et le bois sec s'enflamme. Puis je ferme et je ramène la tirette. C'est bientôt l'enfer dans le ventre du petit poêle qui gronde comme une forge.

Notre camp est petit, bien isolé. La chaleur livre maintenant un combat à finir contre le froid, prend lentement le dessus. Elle redonne confiance au corps et à l'esprit et agit sur nous comme un puissant somnifère. Agenouillé devant le fourneau de tôle rouillé, comme un Bouddha prosterné, je sombre subitement dans une grande indifférence. Mes compagnons se sont laissés choir sur la banquette, roulés en boule. Aurèle est toujours accroché au toboggan, emmitouflé dans son sac de couchage, immobile comme une momie. Nous sommes allés au bout de nous-mêmes ; nous pouvons maintenant nous abandonner au sommeil. Nous sombrons comme dans un gouffre sans fond, tandis que dehors, la tempête fait rage.

16

L'ATTENTE

Je suis resté longtemps allongé par terre, sur le plancher raboteux, affalé sur les bagages, habillé de la tête aux pieds. La chaleur torride qu'il fait dans la cabane, la faim qui me hante et les attaques répétées de la tempête finissent toutefois par me tirer de la torpeur dans laquelle je glissais peu à peu. Les yeux grands ouverts, je fixe le toit en pente qui craque. J'essaie de mettre un peu d'ordre dans mes idées mais j'ai perdu la notion du temps et de l'espace. Mes oreilles bourdonnent : un vent furieux, chargé de neige, s'attaque inlassablement à la redoute en la frappant comme à coups de bélier. Il tempête, fonce, tourbillonne, pousse. Mais la cabane est têtue, tenace, enracinée, et elle résiste. Elle en a vu d'autres, certes, au cours des années. Et je me dis que c'est probablement la première vraie tempête de l'hiver, la plus sournoise, la plus imprévisible.

J'essaie de refaire à l'envers le chemin de ma mémoire. Combien de nuits avons-nous passées à l'abri de l'épinette? Trois... peut-être quatre... Déjà, l'écrasement me semble très loin dans le passé. Je m'en souviens à peine. Pourtant, je ne rêve pas. Ce n'est pas un cauchemar. Je fouille dans mes souvenirs qui refont peu à peu surface. Je me vois, avec McAllister, en train d'empierrer notre pilote. Je revois ses yeux vitreux, sa peau de bronze... Les marques sur les arbres... Attelé au toboggan... Combien de temps avons-nous été inconscients dans cette cabane? J'ai le vague souvenir d'avoir bourré le poêle de bois, instinctivement, comme un somnambule, dès que les piqûres du froid m'ont tiré des limbes. Et maintenant j'ai chaud, horriblement chaud. J'ai chaud, pour la première fois depuis longtemps, à en être mal dans ma peau. Mes vêtements sont devenus encombrants, collants, et tout le corps me pique comme si j'étais tombé dans une fourmilière.

Dans la cabane, nous sommes en sûreté. À un mètre de nous, de l'autre côté de cette paroi de vieilles billes de bois, c'est l'enfer blanc. Nous l'avons échappé de justesse. Je me demande ce que nous serions devenus si nous étions restés terrés dans notre trou. La neige qui tombe aura tôt fait de tout ensevelir, de tout faire disparaître. D'ailleurs, à l'heure qu'il est, il n'y a sans doute plus aucune trace de nous et il n'y en aura pas avant le printemps ; c'est comme si nous n'existions plus. Un jour, par hasard, quelqu'un trouvera la carcasse d'un *Beaver* et quelques squelettes... Alors, on comprendra ce qui s'est passé, et on reconstituera notre histoire.

Nous sommes en sursis, mais pour combien de temps ? Nous n'avons rien à manger. Jusqu'à présent, nos réserves nous ont permis de survivre. Mais maintenant, nous ne pouvons compter que sur nos moyens et notre débrouillardise. Je sens une douleur persistante au ventre. J'ai l'estomac compressé et j'ai soif. Avec de l'eau, nous tiendrons peut-être deux ou trois jours, mais à quel prix ? Peut-être regretterons-nous de ne pas être morts avec le pilote.

Nous nous redressons péniblement, à l'exception d'Aurèle qui reste sans bouger sur le toboggan. Il respire difficilement. L'air accroche dans ses poumons, racle sa gorge serrée et siffle en sortant.

Lentement, nous repoussons nos vêtements. C'est la première fois que nous enlevons nos anoraks. Je retire l'une après l'autre mes grosses bottes doublées d'épais chaussons de feutre. Ah ! Seigneur ! J'éprouve un immense bonheur tandis que j'enlève les bas qui collent à la peau moite de mes pieds. Quel soulagement, quelle sensation de liberté, quel bien-être ! J'ai la peau rougie, les orteils rabougris, gourds. Je les frictionne entre mes mains avant de les glisser sur le tissu soyeux de mon sac de couchage. Mes pieds respirent à nouveau. Je me sens bien.

17

Le désespoir d'Aurèle

La lumière filtre à travers deux petites fenêtres à carreaux, de chaque côté de notre fortin. Le feu jette, à travers la porte disjointe du poêle et les trous des parois, des lueurs rougeâtres qui nous lèchent la peau et dansent sur les murs. Nous avons l'air de fantômes. Des revenants aux cheveux en broussaille, aplatis, collés aux tempes, les lèvres épaisses et les joues creuses, barbouillées de suie. McAllister a une barbe rousse, raide, qui lui fait un menton en pointe. Il a l'air d'un lutin du père Noël. Maréchal se racle vigoureusement le cuir chevelu de ses deux mains, les doigts écartés, pour se masser et aérer sa chevelure noire qui boucle et se gonfle d'air. Elle secoue sa tête comme une loutre qui sort de l'eau.

C'est Aurèle qui nous ramène à la réalité. Plongés dans nos pensées, nous l'avions oublié. Il gémit, s'agite, essaie de se redresser sur les coudes, puis se laisse choir, empêtré dans son sac. En un rien de temps, nous sommes tous les trois à ses côtés et nous nous affairons autour de lui. Je le débarrasse du haut de son survêtement tandis que McAllister et Maréchal lui retirent ses bottes. Son corps est brûlant, ses vêtements sont trempés de sueur. Nous l'assoyons le plus confortablement possible en l'appuyant contre le mur de la cabane. Il a les joues en feu, le regard nerveux, inquiet, les yeux cernés et enfoncés dans ses orbites sombres. Il est vraiment mal en point.

Lorsque McAllister lui retire la botte de sa jambe blessée, il serre les dents pour ne pas hurler de douleur, en se cramponnant à deux mains à mon bras. Son pied et sa cheville, ronds comme un tuyau de poêle, ne font plus qu'un. Impossible de lui enlever son pantalon. Alors, je glisse la lame fine et tranchante de mon couteau de poche entre sa peau et le tissu de nylon que je soulève avec mille précautions, en le pinçant entre le pouce et l'index. Tel un chirurgien maniant le scalpel, je fends le vêtement minutieusement en progressant par petits bouts, de la cheville jusqu'en haut de la cuisse. Des sueurs froides me coulent dans le dos. Nous sommes sidérés par ce que nous révèle cette opération : la jambe d'Aurèle apparaît boursouflée, bleue, rouge et lacérée à certains endroits. Une forte odeur de sang caillé se dégage des plaies et se mêle à celle des bas trempés.

— Alors? demande Aurèle, les yeux hagards.

C'est Maréchal qui lui répond sur un ton professionnel :

— À première vue, votre jambe est cassée en haut du genou. Je vois un bourrelet, une plaie. Vous avez perdu beaucoup de sang et vous avez pris du froid aussi. Votre jambe est enflée sur toute sa longueur ; je vais la panser. Vous allez voir, ça ira beaucoup mieux maintenant que nous sommes ici. Je ne suis pas infirmière, mais j'ai de l'expérience : j'ai travaillé dans plusieurs stations de ski, dans les Alpes. Vous voyez, je suis allée à bonne école ! Ne vous inquiétez pas, vous allez vous sentir bientôt mieux.

Elle se fait rassurante.

Avec la tempête qui rage, il est impensable d'aller puiser de l'eau au ruisseau : ce serait trop risqué. Nous ne connaissons pas suffisamment les lieux. C'est donc McAllister qui se charge, comme d'habitude, de la cueillette de la neige. Il entrebâille la porte et pige à même la première congère qui nous assiège. En ouvrant, l'air froid s'engouffre dans notre réduit comme un essaim d'abeilles passant à l'attaque ; nos pieds nus sont les premières victimes et nous frissonnons de la tête aux pieds. Vite, je tire quelques bûches sous la banquette et relance le poêle à toute vapeur. En un rien de temps, il rugit et reprend courageusement le combat.

La vie revient dans notre petit camp. Maréchal a déchiré une de ses chemises de coton. Elle se prépare à nettoyer la jambe d'Aurèle. Nous nous affairons, McAllister et moi, à faire de l'ordre. En attendant de le remettre à sa place, l'encombrant toboggan est appuyé au mur. Les anoraks et le havresac sont accrochés à des clous, les sacs de couchage roulés, les boudins servent d'appui-dos au patient. Les grosses bûches rondes, nos uniques sièges, sont placées près du poêle. Nous sommes à l'étroit, à quatre, mais nous ne nous en plaignons pas. Cette cabane de trappeur est un véritable paradis, si nous la comparons à notre ancien abri de branches et de neige.

McAllister réconforte son compagnon :

— *Here boss ! You look like a Roman !**

Il essaie de le distraire, de lui faire oublier ses misères.

— *Don't worry ! If they don't find us soon, the H.B.C. is kaput ! Completely kaput !***

Les deux hommes se serrent mutuellement l'épaule. C'est peut-être la première fois en vingt ans de compagnonnage qu'ils se sentent si près l'un de l'autre. Aurèle esquisse un pâle sourire. Puis il est secoué tout entier par une violente quinte de toux sèche qui lui enflamme la tête et lui arrache les poumons.

* Eh bien, tu as l'air d'un Romain !

** T'inquiètes pas ! Il faut qu'ils nous retrouvent sinon la compagnie fera faillite !

18

UN BEAU CADEAU

Un canot qui chavire, un feu de forêt dévastateur, une tempête qui s'éternise, la disette, la malchance... On ne sait jamais ce qui pend au bout du nez du trappeur dans la forêt. La nature est tout ce qu'il y a de plus imprévisible. Je sais que par prudence les trappeurs prévoyants ont, dans leur cabane, une cachette dans laquelle ils gardent précieusement une trousse de survie. Juste ce qu'il faut pour les dépanner en cas d'ennui. Je commence d'abord par scruter attentivement la structure du camp: il n'y a pas de plafond et toute la structure du toit à deux pentes est apparente. Il y a une grosse poutre centrale... une large sablière.

La rencontre entre le toit et le mur, me semble offrir des cachettes idéales ou, tout au moins, des lieux discrets de rangement. Debout, le corps droit et les deux bras arqués au-dessus de la tête, je tâte doucement des deux mains la surface cachée de la solive du pignon. Je cherche en aveugle. J'explore, centimètre par centimètre, et en même temps je me concentre. Soudain, près du linteau de la porte... Oups ! J'arrête, je recommence... Je dépose un clou rouillé sur la table. Mes compagnons m'observent attentivement. Tout cela prend une très grande importance. Je poursuis ma recherche, toujours avec autant de minutie, afin que rien n'échappe à mes doigts. Je palpe le dessus poussiéreux de la poutre... Oups ! Je recommence, toujours sur mes gardes, et cette fois-ci je dépose sur la table, devant des yeux ronds et sceptiques, une boule de fil à pêche. Piqué dedans, comme dans une pelote à aiguilles, il y a un leurre rouge et blanc en forme de cuillère. L'hameçon est rouillé mais le tout est en bon état.

— C'est pour pêcher, constate Maréchal à voix haute.

Je réplique aussitôt, fier de ma découverte :

— Oui madame! Et cela veut dire qu'il y a du poisson dans les environs. Ça, c'est mauditement encourageant! La ligne est courte, mais je peux l'allonger en l'attachant au bout d'une perche.

Je passe maintenant à la seconde étape de mon plan. Agenouillé et me servant du côté plat de la hache comme d'un marteau, je tape légèrement sur le plancher. Tap! Tap! Tap! Les grosses planches équarries vibrent. Je commence au fond et je sonde systématiquement chaque centimètre carré, sans rien laisser au hasard. Je frappe sur les planches comme sur une peau de tambour. J'écoute toutes les vibrations avec soin, comme un médecin qui enregistre des battements de cœur au stéthoscope. J'entends toujours le même son rond, plein, je perçois toujours les mêmes vibrations dans le bois. Mais soudain, entre les quatre pattes de la table, la hache rebondit différemment. Le manche, que je tiens fermement, frémit et me chatouille la paume de la main. Je coince le taillant de la hache dans une fente et m'en sers comme levier. La planche cède. J'en enlève deux autres avec les mains, découvrant ainsi un trou sombre, creusé dans le pergélisol. Nous sommes à la fois étonnés et curieux. Qu'y a-t-il dans cette cachette ?

Je poursuis mon travail. Je sors du trou une boîte carrée en bois. C'est une vieille caisse à bâtons de dynamite. Il y a, au centre du couvercle, une grosse tête de mort dessinée d'un large trait noir et je lis en dessous : T.N.T. DANGER. HANDLE WITH CARE*. J'ai l'impression de participer à une course au trésor, d'être un enfant qui déballe un gros cadeau, le soir de Noël, sans savoir quelle surprise l'attend. Je prends bien mon temps tandis que j'enlève le couvercle de bois fermé hermétiquement. Mais je ne suis pas au bout de mes peines : dans la boîte, se trouve un sac en toile de tente bouclé par un long fil de babiche**. C'est ainsi que les Inuits attachent leur sac de voyage. Je défais le nœud et j'élargis la gueule du sac. Nous sommes tous anxieux. Mes trois compères s'étirent le cou alors que je sors enfin un contenant rond, en tôle, d'un rouge délavé. Je

* Attention explosif. Manipuler avec précaution.

** Lanière de peau séchée.

connais ce type de boîte. Ma grand-maman en avait une identique sur son comptoir de cuisine. Elle y rangeait, bien au sec, ses biscuits aux raisins, son sucre à la crème, sa tarte aux pommes...

Je coince la boîte en la serrant contre ma poitrine avec mon bras gauche, tire le couvercle en me servant des ongles de ma main droite, tout comme je le faisais quand j'étais jeune. Le couvercle saute et la tôle vibre... Je n'ose pas aller plus loin, pour l'instant. Je suis arrêté par une odeur particulière qui me monte au nez et à la gorge. Elle me bouleverse. Ce n'est pas une odeur de nourriture, mais de propreté, de cuisine bien rangée, soignée, immaculée... Sur le dessus de la boîte, il y a, pliés avec grand soin, deux linges à vaisselle en coton blanc, confectionnés dans la toile d'un sac de farine. Et au milieu, dans un petit tas, comme dans un nid, se trouve un chapelet aux grains de bois brun, à la croix argentée. Je le prends au creux de ma main. Je n'ose pas déplier les linges. Aux quatre coins, des petites fleurs de chicoutai ont été délicatement brodées avec du fil de coton rouge.

Il y a dans notre petite maison une solennité de chapelle ardente. Je suis profondément ému, les émotions se bousculent dans mon cœur. De toute évidence, cette boîte a été préparée avec beaucoup de soin et d'amour par une femme qui voyait s'en aller son amoureux pour plusieurs mois. Les linges recouvrent un sac de farine *Robin Hood*. Elle a disposé tout autour, bien emballés, du thé en vrac, une petite boîte de poudre à pâte *Magic*, des allumettes de bois et deux bougies. J'explose finalement et je lance, ébahi :

— Tu parles d'une histoire !

Je tombe des nues. Pour moi, c'est un vrai miracle, un cadeau du ciel, et je crie :

— Ce soir mes amis, pour nous régaler, il y aura de la banique chaude, dorée et croustillante, du bon pain à l'indienne préparé selon la recette de ma grand-mère. Et avec un savoureux thé noir. Qui dit mieux ?

C'est l'euphorie. McAllister est transporté de joie. Il me tape dans le dos, me serre la main. Il n'a qu'un mot à la bouche : *Goddam !*

Maréchal et moi nous étreignons longuement. Aurèle, de sa banquette, applaudit à tout rompre en criant: Bravo! Bravo!

La gaieté et l'espoir ont envahi le camp de bois rond, planté comme une forteresse solitaire au milieu de l'Arctique, une oasis dans un désert de neige et de froid. Pour l'instant, nous oublions le lendemain. Le poêle rugit comme un haut fourneau. Notre cabane devient un véritable four.

Je boulange! J'ajoute un peu d'eau tiède dans un puits creusé au cœur de la farine blanche. Puis je pétris une pâte épaisse, lisse. Je roule des boules entre mes paumes enfarinées et les écrase en galettes. Dès qu'elles sont prêtes, je les lance sur la tôle du poêle, rouge comme une crête de coq, et je les aplatis avec mon poing. Elles tombent de haut, se gonflent instantanément, se croûtent, se dorent et brunissent sur les bords. Une odeur de farine grillée embaume le camp. C'est signe qu'il faut les retourner, pour bien les croûter des deux côtés. Puis je les empile sous le poêle, où elles continueront à cuire de l'intérieur.

L'arôme nous chatouille les narines, le pain chaud nous tire les larmes des yeux. Nous en avons l'eau à la bouche. Jamais je ne me suis senti si faible, si vulnérable dans ce monde. C'est un terrible malaise qui m'envahit tout entier, la faim, sûrement ajoutée à la chaleur. J'imagine qu'Aurèle, McAllister et Maréchal sont dans le même état que moi. Nous serrons les mâchoires en silence et faisons de grands efforts pour ne pas sauter à deux mains sur ces galettes des dieux, un cadeau de la Providence.

Cet après-midi là, nous avons savouré de la banique chaude et du thé noir dans le restaurant le plus luxueux, le plus chic de la terre. Chaque miette nous fond dans la bouche comme une goutte de miel sur le bout de la langue. Nous avons arrêté le temps pour vivre pleinement et oublier que nous sommes les égarés du bout du monde, ceux que l'on croit morts, gelés, disparus. Des prisonniers assaillis par la grosse cavalerie des vents.

Assis sur le plancher, appuyés sur la banquette, les pieds nus collés au poêle qui respire maintenant normalement, nous mangeons. Aurèle gesticule en participant à la fête. McAllister fait le bouffon et Aurèle s'étouffe, tousse, reprend son souffle, siffle comme un siffleux qui sort de son terrier, puis se remet à rire.

Je suis assis près de Maréchal. Elle porte un chandail de laine écrue. Nos épaules, nos bras, nos cuisses se touchent, se frôlent. Sa présence est palpable.

19

La mort

McAllister et moi sommes assis sur les bûches, les avant-bras appuyés sur nos cuisses. Nous fixons le poêle qui ronronne, en méditant très loin au fond de nous-mêmes. Le chant monotone du poêle, les lueurs chatoyantes des tisons, ainsi que la chaleur qui nous prend au visage nous hypnotisent et nous incitent à la rêverie. Maréchal dort, recroquevillée dans son sac de couchage. Aurèle a refusé de s'allonger sur la banquette. Après le festin de banique, il a préféré rester appuyé à l'angle des murs, prétextant qu'il se sentait mieux ainsi. Il me semble que sa jambe blessée et découverte noircit à vue d'œil. Il est profondément tourmenté et marmonne de longues phrases incompréhensibles dans son coin. McAllister est le premier à réagir.

Nous nous regardons inquiets, impuissants. Nous savons qu'il souffre et nous avons mal avec lui. Sa douleur n'est pas uniquement physique, c'est tout son être qui est atteint. Et ce qui le blesse davantage, c'est de savoir que ceux qu'il aime et qui l'aiment souffrent pour lui. Lui, il s'oublie.

L'ambiance dans laquelle nous vivons nous apparaît tout à coup insolite. Les appels désespérés d'Aurèle sont de plus en plus aigus, pressants, angoissés. Il les entrecoupe de lourds et mystérieux silences qui nous troublent. Nous tressaillons à ses moindres gestes. McAllister, mal à l'aise, se sentant étranger dans cette maison, murmure pour lui-même d'une voix monocorde :

— *I wonder who lived here before us ?**

Cette cabane de trappeur a certainement été témoin de grandes joies, mais aussi de drames, de catastrophes, d'événements graves. Lorsque le poêle chante, qu'il y a des gens qui bougent, qui parlent, qui dorment et qui mangent, la maisonnette devient un foyer avec une âme. Nous sentons cependant ce soir que

* Je me demande qui a habité ici, avant nous ?

ces lieux sont encore habités par on ne sait qui. Il y a là, parmi nous, une forte présence invisible que nous devinons en nous-mêmes.

Maréchal sort de son sommeil au moment où McAllister, inquiet des soubresauts de plus en plus fréquents d'Aurèle, se lève et s'assoit à son chevet. Il lui éponge le front, lui parle calmement. Lorsqu'Aurèle, en détresse, lance ses bras dans les airs, McAllister attrape ses mains osseuses au vol, et les dépose doucement sur son ventre. Sans relâche, sans impatience, il recommence, toujours avec la même voix douce et rassurante. Aurèle articule difficilement des noms qui s'empêtrent dans sa langue épaisse :

— MMÂÂRRiii...

— Oui ! Oui ! reprend McAllister qui le comprend. Mary. Bien sûr. Mary. *Don't worry, you will see her soon**.

Il lui parle comme s'il était son enfant. Aurèle multiplie les tirades où se bousculent des noms que McAllister reformule. Il les connaît car il est proche de la famille. Au cours des années, elle est devenue la sienne, lui qui n'en a plus et

* Ne t'inquiète pas, tu vas la revoir bientôt.

qui n'en a peut-être jamais eu. Il décode les prénoms de ceux qui sont chers au père : Danny, Oliver, Anny...

— *Don't worry*! répète-t-il. *We will see them very soon**.

Et il continue à éponger le front fiévreux et les joues moites de son compagnon. Maréchal et moi sommes maintenant assis côte à côte sur les bûches, dos au poêle, droits, les bras croisés et les lèvres serrées, le cœur pris dans les mâchoires d'un étau. Nous sommes prêts à intervenir au premier signe de McAllister. Mais pour l'heure, nous ne savons pas quoi faire. Nous nous sentons tout à fait impuissants. De temps en temps, j'ajoute de la neige dans l'eau pour la refroidir. Aurèle sue à grosses gouttes. Ses lèvres sont bleues et ses yeux noirs cernés roulent, affolés, dans la pénombre. Subitement, il se dresse sur son séant, ahuri, et crie :

— Non ! Non !

Des sons secs, retentissants, qui claquent, qui nous glacent, qui occupent toute la place. J'en ai encore la chair de poule sur tout le corps. Aurèle hurle encore :

* Ne t'inquiètes pas, nous allons les revoir bientôt.

— Non ! Je ne veux pas mourir ! Je ne veux pas !

Il s'agrippe à deux mains aux épaules de McAllister, le secoue, le regarde droit dans les yeux, le regard rempli d'effroi. Et subitement, il s'effondre, sans vie.

Nous nous sommes agenouillés, Maréchal et moi, à côté d'Aurèle. McAllister lui tient encore les mains et Maréchal prend son pouls. Il n'y a plus rien à faire, rien à espérer. L'Écossais appuie son front sur la poitrine inerte de son vieux compagnon de route et se met à sangloter. Nous posons une main fraternelle sur son épaule afin de le réconforter et lui manifester ainsi notre solidarité dans la douleur. Nous sommes tous les trois profondément tristes.

20

La neige pour linceul

La tempête s'est évanouie par enchantement, comme si elle était venue chercher Aurèle avant de s'en aller sous d'autres cieux. Dehors, il n'y a plus de vent, plus de bourrasque. Par la fenêtre, nous voyons la lune toute ronde se faufiler entre les têtes immobiles et muettes des longues épinettes sombres. Une couche immuable de neige bleue recouvre la terre. Le sol est comme un miroir, il reflète les squelettes des arbres. La forêt endeuillée donne l'impression de s'être paralysée à tout jamais. Nous n'osons pas sortir.

Dans la cabane, nous veillons le corps. Maréchal a posé la chandelle sur la table puis elle l'a allumée. Nous allongeons le corps d'Aurèle sur la banquette, enveloppé dans son sac de couchage. La toute petite flamme jaune de la bougie donne un caractère sacré à notre veille. Elle rayonne, frêle et précaire dans la nuit. Elle luit comme les flammes éphémères des lampions que les pèlerins allument dans les grandes cathédrales du monde pour rendre hommage à la vie, pour se donner de l'espoir. McAllister nous a parlé longtemps, en anglais, de son ami Aurèle qu'il côtoyait depuis plus de vingt ans. Il continue à voix basse, sur le ton de la confidence, comme si nous étions dans un salon funéraire. Les deux larrons en ont vécu des aventures dans le Nord! Mais celle-ci est bel et bien la dernière. C'est ici, dans la forêt de la rivière George, que leur équipée se termine pour toujours. Aurèle, le comptable, le boute-en-train, a toute sa vie traîné sa grosse valise de factures et de comptes, d'un magasin nordique à l'autre. Il s'acharnait sans cesse à vouloir équilibrer des comptes récalcitrants et imprévisibles comme la température, loin des siens et se reprochant continuellement d'avoir été un amoureux absent, un père manquant.

— J'étais inquiet, nous avoue enfin McAllister. Je peux maintenant le dire,

Aurèle a fait un infarctus à Puvirnituq. Il a été hospitalisé pendant une semaine. Puis, il a repris son travail sans dire un mot, de crainte d'être cloué au Sud. Il a toujours eu une telle peur du chômage et de la mort qu'il n'a jamais voulu en parler.

À l'aurore, nous avons fermé le sac, comme un sarcophage, et nous l'avons enseveli dans la neige, le long de la cabane. Nous avons alors ressenti un vide profond.

Revêtus de nos anoraks et chaussés de nos bottes, c'est la première fois que nous sortons depuis que nous habitons la cabane du trappeur. Tout est immensément blanc. Un blanc pur, éclatant, qui fait mal aux yeux. Les arbres plient, surchargés d'une nouvelle neige. J'ai peine à reconnaître l'environnement sous son épaisse douillette. Tout est adouci, en rondeur. Le sol ondule. Nous avons l'impression d'être dans un autre monde, sur une autre planète. L'hiver est un magicien ou un grand artiste ou peut-être les deux en même temps. Il a le don, avec sa baguette magique, de transformer le monde, de créer des atmosphères, d'inventer des formes et des couleurs. C'est un très grand maître.

Graduellement, je prends conscience de ce qui est le plus étonnant : le silence ! Un silence dense, qui a une présence forte, saisissante. Un silence solennel de grande cathédrale, de lieu de pèlerinage. Il y a un vide, une absence totale de vent. Ce matin, il a tiré sa révérence. Ici et là, sans que nous sachions où, ni comment, ni pourquoi, des craquements secs, intrigants, nous font tourner la tête. Ce sont probablement des arbres qui éclatent sous la pression du froid extrême.

Nous remettons le toboggan à sa place et refaisons la provision de bois sous la banquette. McAllister s'occupe de la corvée de l'eau. Il la puise cette fois au ruisseau et remplit tous les contenants que nous avons. L'eau est précieuse.

21

La grande rivière

McAllister paraît perdu. Désespéré, il erre comme un automate. Il s'enfonce profondément en lui-même, s'isole. Nous partageons les dernières miettes de pain et buvons plusieurs tasses de thé. Le manque de nourriture, l'épuisement physique, la mort d'Aurèle affectent notre moral et nous rendent vulnérables au froid. Dans un ultime effort, nous essayons de sortir l'Écossais de son mutisme. À nos questions sur lui ou sur Aurèle, il répond par des grognements ou des hochements de tête. Parfois, il lève les épaules en signe d'impuissance ou d'impatience.

C'est alors que je vois sur la table, le leurre et le fil de pêche. Spontanément, je lance :

— Et si nous allions à la pêche ?

Cette proposition inattendue suscite un grand intérêt. McAllister me regarde du coin de l'œil. Son regard est interrogateur, énigmatique... J'y vois même du défi, de l'audace :

— *Goddam !* dit-il finalement, *let's go and find that fucking river once and for all !**

En moins de deux, nous sommes sur nos pieds. J'attrape la hache, la pelote de fil à pêche, le leurre. J'enfouis tout ce barda dans le havresac que je jette sur mon épaule, et nous voilà partis ! Avant de fermer la porte, nous prenons soin de charger le poêle de grosses bûches et de fermer toutes les prises d'air afin que le bois se consume lentement. Une fois dehors, notre petite cabane nous semble sympathique, accueillante.

Il fait très froid. Une colonne de fumée blanche monte tout droit dans le ciel cristallin puis s'effiloche au-dessus des arbres. La piste est facile à retrouver et à suivre. Ce n'est plus une ligne de trappe, mais un sentier large et bien battu. Il est balisé par la neige fraîche. Il se déroule comme un ruban blanc qui louvoie entre

* Bon Dieu ! Il faut trouver cette maudite rivière une fois pour toutes !

les arbres, longe le ruisseau et s'enfonce dans les aulnaies, formant une tonnelle qui nous oblige à baisser la tête. J'ouvre la marche. Nous avançons résolument, à la queue leu leu. Une couche de neige épaisse et folle monte jusqu'à nos genoux. Nous traînons volontairement nos pieds pour ouvrir une piste et faciliter le trajet du retour. Heureusement, une pente douce nous aide. Encore une fois, nous ne savons pas ce qui nous attend au bout de la route. Nous n'avons que notre enthousiasme et notre courage.

Nous ne pouvons nous empêcher d'admirer le paysage. À plusieurs endroits, il est d'une beauté exceptionnelle : sec, austère, un paysage de glace et de froidure. Les décors les plus fabuleux sont ceux formés par les longues et fins aulnes givrés, arqués sous l'empire du gel. Ils se croisent, s'enlacent et forment des treillis inextricables à travers lesquels se faufilent, éclatent et étincellent les éblouissants rayons du soleil.

Notre marche est courte.

— *Goddam !* laisse tomber McAllister stupéfait.

Il n'en croit pas ses yeux : le petit ruisseau nous a menés à la grande rivière dans laquelle il se jette. Maréchal et moi demeurons bouche bée devant ce spectacle. C'est comme si nous venions de découvrir le Mississippi ou l'Amazone : devant nous, la rivière George coule dans toute sa majesté. Elle est impressionnante par sa largeur, la force de son courant, la sévérité de son environnement. La banquise a commencé à se former le long des rives, ne laissant au centre qu'un chenal où roule une veine gonflée, bleue, sombre, épaisse comme de l'encre. À certains endroits, le tourbillon s'arrondit, comme le dos d'une baleine qui sort de l'eau, et plus loin, en aval, il plonge sous la glace et disparaît.

La plage boueuse est criblée de pistes de caribous. Le troupeau n'est certainement pas loin. Les bêtes ont sans doute senti notre présence et ont fui en nous entendant venir. Elles reviendront certainement, car c'est ici qu'elles traversent la rivière. Nous nous trouvons sur leur route de migration. Leur sentier millénaire est tracé, piétiné.

22

La fausse glace

À l'orée du bois, je trouve une longue perche sèche au bout de laquelle j'attache solidement le fil à saumon, avant de l'enrouler autour du bâton. C'est ainsi que je fabriquais mes cannes à pêche quand j'étais jeune, pour pêcher la truite. J'utilisais cependant une tige souple et flexible. Mais ici, tout est gelé, raide. J'ai déjà repéré des yeux l'endroit le plus propice où lancer mon leurre. Je m'aventure sur une suite de roches et de galets qui émergent. Je saute de pierre en pierre en m'aidant de ma perche pour garder l'équilibre comme un funambule.

Je me rapproche suffisamment du centre de la rivière pour y pêcher. Je balance la cuillère comme un pendule au bout de ma canne : une, deux... Elle oscille, tournoie sur elle-même, prise dans le vent, miroite au soleil. Trois... Je la dépose dans les tourbillons. L'appât saute sur l'eau, bondit et se fait happer par le courant qui l'entraîne sous la glace. Il s'échappe dans le gouffre. Le leurre tire furieusement au bout de la perche que je tiens fermement à deux mains. Je suis tendu, à l'affût, prêt à réagir au moindre signe de vie. Je me tiens en porte-à-faux, sur le dos glissant d'un galet, et je me concentre sur ma ligne. Je n'entends que des gargouillis tout autour de moi tandis que la canne, qui résiste aux charges incessantes du courant, est secouée tout à coup.

La pêche est une forme de chasse bien particulière car le chasseur ne sait pas ce qui se passe sous l'eau; c'est le mystère le plus complet. J'attends, incapable de regarder derrière moi car ma situation ne me permet pas de tourner la tête. J'aimerais voir Maréchal, McAllister... Puis soudain, VLAN! Mon cœur ne fait qu'un tour, bat violemment comme s'il voulait sortir de ma poitrine. Je devrais normalement ferrer, patienter, fatiguer ma prise. Je sais tout cela, je me le suis répété dix fois, mais je n'en fais rien. Surpris, décontenancé, je donne un formidable coup de rein. J'arrache littéralement le poisson de l'eau et le projette en tournoyant sur la banquise. L'appât luisant lui déchire la gueule et le fil se casse sous le choc, sec, rude. Je vois miroiter la cuillère, comme si elle me faisait un vif clin d'œil, avant de s'éclipser à tout jamais dans la noirceur de la fosse.

Tout cela s'est passé à la vitesse de l'éclair. Je me cambre pour ne pas perdre pied. Le poisson frétille et se tord énergiquement dans la neige, cherchant désespérément à regagner l'eau, tout près, à sa portée. Je n'ai pas vu McAllister qui a suivi lentement mes traces. Il est à quelques mètres derrière moi et a observé attentivement la scène. Tout excité, il se met à crier en gesticulant :

— *It's a trout! It's a nice one! You got it Metis, you got it!**

Voyant la truite libre frétiller comme une anguille sur la banquise, l'Écossais se jette sur elle, les deux mains tendues, prêtes à saisir le poisson pour l'immobiliser.

* C'est une truite, et une belle ! Tu l'as eue, le Métis, tu l'as eue !

— *No ! No !* McAllister. *Stop ! Stop !*

J'ai crié de toutes mes forces, mais il ne m'entend pas... et il est trop tard.

Dès qu'il pose le pied sur la fausse glace, elle cède, creusant un trou béant, mouvant, monstrueux, dans lequel l'Écossais s'engouffre tout entier. J'accours pour lui tendre ma perche, mais seuls nos regards terrifiés s'accrochent pendant un instant. McAllister, les bras tendus vers le ciel, disparaît sous la banquise, emporté par le fort courant.

Je ne pensais pas que l'on pouvait mourir si vite, à l'improviste, sans dire adieu. Disparaître ainsi, en une fraction de seconde, ne plus être là... Je n'arrive pas à le croire. Je suis accroupi sur la roche froide et regarde éperdument le vide, le trou béant, noir et sans fond. Je me mets à prier pour que McAllister revienne, pour que tout cela ne soit qu'un cauchemar. Après un moment, je cherche des yeux Maréchal. Elle a tout suivi de la rive. Debout, immobile, elle se cache la figure dans ses mitaines. Je ne vois que sa statue, glacée d'horreur.

J'ai de la difficulté à m'arracher de cette roche. En m'aidant de la perche, je regagne lentement la rive où nous nous enlaçons, Maréchal et moi. Nous pleurons la mort terrible de McAllister. Le deuil est lourd; nous restons ainsi, ahuris, pendant un long moment. C'est comme si, tout d'un coup, tout se précipitait, tombait en morceaux, s'effritait autour de nous. Nous prenons conscience que nous ne sommes plus que deux: les derniers survivants du crash.

Nous avons longuement pleuré. Puis nous nous sommes souri, tristement. Il est difficile de décrire le sentiment que j'ai ressenti, à ce moment-là. C'était un mélange de tristesse et d'amour, une sensation de solitude, de vide et d'extrême fragilité dans cette immensité. En même temps, j'ai senti naître cette petite lumière d'espoir qui ne voit le jour que dans les moments les plus difficiles, les plus sombres de la vie.

La truite, empêtrée dans la neige qui l'assèche et lui colle à la peau, s'est vite glacée, figée, tordue sur la banquise. En me servant de la perche, j'arrive à la pousser à portée de la main. Maintenant, nous avons ce qu'il faut pour survivre encore un peu. Ce n'est pas une grosse prise. Dans l'euphorie du moment, McAllister l'a imaginée beaucoup plus imposante, et moi aussi, je me suis laissé prendre...

23

REJOINDRE LA CABANE

À moins d'un kilomètre en aval, la rivière fait une longue courbe avant de disparaître entre les rochers vallonnés de la toundra arctique.

— Regarde, me souffle Maréchal, regarde là-bas...

Elle pointe l'horizon de la main.

— J'ai cru voir quelque chose bouger, ajoute-t-elle.

Moi aussi, maintenant, je distingue des mouvements flous, comme une volée d'outardes... Non! Des taches grises s'avancent dans notre direction. Oh! Je vois plus clair. Ce sont des caribous. Leur pelage se confond avec le roc et la plage où se mêlent la boue noire et la neige blanche. Les bêtes progressent tranquillement, bêchant le sol de leurs sabots, à la recherche de nourriture. Ce sont des femelles qui migrent avec leurs petits. Elles avancent en éclaireur sur la route de leurs ancêtres. Nous ne bougeons pas, pour ne pas signaler notre présence.

Une première bête, chef de file, avance prudemment, à pas lents. À tout bout de champ, elle lève le museau, allonge le cou et flaire le vent, les naseaux frémissants : elle ne se sent pas en sécurité, elle est inquiète. Le petit troupeau s'arrête, renifle, piaffe et repart. Loin derrière, d'autres bêtes encore et encore... Elles suivent la rive en un interminable chapelet. Nous en distinguons maintenant plusieurs centaines. La bête de tête hésite à donner le signal. Nous sommes à contrevent mais son intuition lui fait deviner notre présence. À l'orée du bois, courent les grands loups au long pelage argenté. Il y a, ici et là, des mouvements de foule, des galopades soudaines, des ruades qui soulèvent une poussière de neige.

Nous regagnons doucement l'entrée du sentier, en nous dissimulant. Finalement, le signal est donné. La première bête se jette à l'eau, suivie des autres qui entreprennent résolument la traversée de la rivière à la nage. La scène est saisissante.

Les caribous flottent comme des ballons. Ils forment un pont mouvant qui relie les deux rives. Des milliers de bêtes défilent comme une armée en pagaille, sans se presser. La rivière se couvre de têtes brunes et de queues blanches qui naviguent dans l'eau glacée comme des petits voiliers, un jour de régates.

Ce spectacle me rappelle que la vie et la mort sont deux sœurs de la même famille. Je me souviens du jour de l'enterrement de mon père. J'étais petit et je croyais que c'était la fin du monde, que tout allait s'arrêter, s'écrouler ; la terre même allait s'arrêter de tourner. Mais à ma grande surprise, l'existence a continué son cours normal, comme s'il ne s'était rien passé de particulier ce jour-là !

Immobiles, les deux pieds dans la neige, nous grelottons Maréchal et moi. Le soleil se couche, un vent humide se lève. Il vient de la rivière et nous transperce jusqu'aux os. Il est grand temps de rentrer au camp. Je mets le poisson dans le havresac et nous nous engageons sur le sentier du retour en suivant le sillon étroit que nous avons tracé quelques heures plus tôt. La montée est épuisante.

Nous sommes affaiblis par la longue et dure journée que nous venons de vivre : toutes ces émotions nous minent. Le plus difficile, c'est de mettre de l'ordre dans notre tête et dans nos sentiments, trouver une explication logique à ce qui nous arrive, à ce que nous vivons si intensément. Nous marchons très près l'un de l'autre, anxieux. Des frissons incontrôlables nous secouent des pieds à la tête, comme des arbustes fouettés par le vent d'une tornade. Parfois, nous avons l'impression de ne pas être seuls dans la pénombre. Les bosquets qui, ce matin brillaient de milliers de cristaux, sont maintenant habités par des fantômes. Nous sommes à la frange du troupeau, au pays des loups affamés. Nous les entendons hurler le long de la rivière et nous avons l'impression qu'ils rôdent, nous encerclent, détalent. Ils ont marché dans nos pistes, croisé notre route et uriné dans la neige et maintenant, ils nous observent de leurs yeux de braise. Ils en veulent certainement à notre poisson. Mais nous y tenons comme à la prunelle de nos yeux et sommes décidés à nous battre jusqu'à la mort pour le conserver. Il nous a coûté cher et notre vie en dépend.

Je tiens la hache à bout de bras, prêt à frapper. De lourds paquets de neige tombent des branches qui se relèvent, libérées tout d'un coup. Elles s'agitent, se balancent, craquent. Le vent mugit dans la cime des arbres. Notre imagination nous échappe, elle nous joue des tours. Nous croyons que les loups sont sur nos talons, prêts à bondir. Il faut faire du bruit, s'agiter, montrer que nous sommes énergiques afin d'intimider les agresseurs et délimiter notre territoire. Maréchal traîne la perche derrière elle dans la neige. Parfois elle la soulève et frappe le tronc d'un arbre ou fouette un bosquet. Elle s'épuise, perd l'équilibre, trébuche dans ses lourdes bottes qui s'embourbent dans la neige. Finalement, elle tombe de tout son long à côté du sentier. Je l'aide à se relever, je secoue ses vêtements. Nous restons accrochés dans les bras l'un de l'autre pour nous réconforter et reprendre notre souffle. Ces quelques minutes de répit nous redonnent courage.

J'arrive à lui souffler :

— Un dernier effort. Nous arrivons.

Elle me fait signe que oui, du capuchon, et nous reprenons notre marche. Il fait déjà noir. Je me guide sur notre piste du matin qui trace une marque plus sombre dans la neige. À certains endroits, il ne reste plus rien de notre passage, le vent a déjà tout fait disparaître. Nous fonçons tête baissée; nos pas sont lourds, nos gestes lents. Nous n'avons qu'une idée en tête, une obsession: rejoindre la cabane.

24

JOSEPPI

Ce n'est qu'une fois la porte bien fermée derrière nous que nous avons repris nos esprits. Nous nous sommes assis sur les bûches, face à face, sans nous dévêtir. Je pose ma tête encapuchonnée sur l'épaule de Maréchal, mes mains sur ses cuisses. Elle en fait autant. Nous tentons de revenir à la vie. Nous prenons le temps de respirer, profondément, de refaire nos forces morales et physiques. Il ne fait pas très chaud dans notre refuge : le poêle se meurt et le froid prend rapidement le dessus. Après avoir récupéré un peu d'énergie, je secoue les cendres et souffle sur les derniers tisons pour les aviver. J'ajoute ensuite des brindilles et du bois, avant d'ouvrir la tirette. Le poêle monte vaillamment à l'assaut du froid.

Maréchal pose les chaudrons remplis d'eau sur la tôle. Le poisson à demi gelé est rapidement vidé. Je conserve précieusement la tête et les entrailles. Je sectionne ensuite le corps en quatre portions et dépose les morceaux dans un chaudron. Comme des mimes, nous reprenons à nouveau notre position sur les bûches. Je me sens bien ainsi. Je presse fortement les cuisses de Maréchal entre mes deux mains comme pour lui dire que je suis là, que j'ai besoin d'elle et que nous sommes bien en vie. Elle enfonce son visage dans le creux de mon cou. Je sens son souffle et la chaleur de son corps.

Nous savons que nous allons manger : cela nous rassure et nous calme. La chaleur qui envahit à nouveau la cabane nous redonne vie petit à petit. Nous enlevons nos lourds vêtements. J'aide Maréchal à retirer ses bottes. Il y a un fumet dans l'air qui me pénètre, imbibe tous les pores de ma peau ; un arôme fin et délicat qui me coupe les jambes. Je pense que je vais en perdre connaissance. Maréchal me glisse à l'oreille :

— Je n'ai jamais rien senti d'aussi agréable de toute ma vie !

Elle se redresse, allonge le bras, prend nos canettes *Coca-Cola* et nous sert deux tasses de bouillon de poisson. Je sens le fumet chaud et velouté imprégner ma langue qui se gonfle et se tord. Le liquide coule dans ma gorge, traverse mon estomac et descend dans mon ventre. Je pourrais le suivre du bout du doigt, comme on suit une route sur une carte. C'est tellement bon que j'en ai mal aux os ; toutes mes articulations souffrent.

Je regarde Maréchal et je vois de grosses larmes rouler sur ses joues. Elles luisent comme des perles de cristal. Je pose les morceaux de poisson sur la table et nous les décortiquons du bout des doigts. Nous portons à nos lèvres de petites bouchées de chair rose et moelleuse que nous écrasons entre la langue et le palais, tandis que nos bouches se mouillent de salive. Puis, nous dégustons le bouillon, à petites lampées. Nous mangeons comme des loups, sans penser à rien d'autre. Puis nous nous léchons les doigts comme des ratons laveurs se lèchent les griffes. Il ne reste plus une goutte au fond du chaudron.

Tout au long du repas, je remercie de tout mon cœur l'esprit du poisson pour sa générosité à notre égard. Il a compris notre détresse et nous a donné un des siens à partager. Je lui rends grâce, et si je le peux, je remettrai la tête et la queue à l'eau afin que la vie se régénère et continue.

La lumière blafarde qui filtre à travers la fenêtre étroite nous rappelle que nous sommes au petit matin et qu'il nous faut bouger. Nous avons devant nous une journée cruciale. Nous sommes toujours sur la corde raide : il faut à nouveau trouver de la nourriture. À la barre du jour, le vent se lève. Nous entendons le bourdonnement sourd de la bourrasque qui virevolte et entraîne dans sa course la neige folâtre. La poudrerie risque de nous compliquer singulièrement la vie. Ce démon de vent ! On ne sait trop d'où il vient, où il loge, ce qu'il entend faire. Il joue avec la neige, comme avec nous, tel un chat avec une souris. C'est le maître des lieux, le plus imprévisible des éléments.

Nous traçons le programme de la journée, sachant qu'il faudra à tout instant improviser et s'adapter à de nouvelles situations. Nous retournerons pêcher; je peux fabriquer une autre canne à pêche avec la perche, la babiche et l'hameçon, faute de cuillère. J'appâterai avec les yeux de la truite et les intestins (en cas de malchance, ce soir nous ferons bouillir la tête). C'est peu, mais c'est mieux que rien. J'ai aussi un plan: en construisant un enclos avec des branches et en utilisant le terrain et les roches, peut-être pourrons-nous prendre un jeune caribou au piège?

— O.K., dit Maréchal, allons-y!

Nous connaissons bien maintenant le chemin qui mène à la rivière. Le vent a tout effacé: la route est vierge. Nous marquons à nouveau le sentier. Je porte la hache et Maréchal tient la canne au bout de laquelle j'ai attaché le fil et l'appât. Quand nous arrivons à la rivière George, nous avons le vent de face. Au cours de la nuit, le paysage s'est transformé. Le chenal est plus étroit, plus sombre, plus violent, comme si l'eau se rebiffait contre l'emprisonnement de la glace. Elle résiste, s'insurge, gronde sa colère et nous apparaît inaccessible. La visibilité n'est pas très bonne. Le vent charrie des paquets de neige granuleuse qui remontent la rivière, nous attrapent au passage et nous entortillent. Nous devons attendre une accalmie pour juger de la situation. Debout à l'orée du bois, nous en profitons pour observer la vallée. Il y a quelques caribous traînards le long de la rivière. Ils se tiennent presque immobiles, dos au vent. Nous remarquons que leur nombre augmente sensiblement, d'une éclaircie à l'autre, mais nous n'en sommes pas certains car ils sont difficiles à voir à travers les rafales.

D'autres bêtes arrivent en trottant, la tête haute. Elles viennent grossir le troupeau qui s'agite. Elles sont nerveuses et piétinent en flairant en aval. Nous suppposons que ce sont les loups qui les excitent. Ils doivent profiter du couvert des bourrasques pour s'approcher de leurs proies et passer à l'attaque. Mais nous n'en voyons aucun.

La journée nous semble perdue. Nous ne pouvons pas rester ainsi bien longtemps au froid à ne rien faire. Il est impossible de pêcher ni de mettre mon plan de chasse à exécution; nous sommes condamnés à attendre, le ventre vide. Mais nous ne pouvons pas nous résigner à rebrousser chemin et à abandonner la partie.

Tout à coup, profitant d'une trouée, les caribous foncent et se jettent à l'eau, sans crier gare, à la débandade. D'autres, dans la confusion, détalent vers l'amont. Ces déplacements désordonnés sont pour le moins bizarres. Nous observons la scène, nous demandant ce qui se passe... Le bruit du vent qui bourdonne me met la puce à l'oreille. Je fais basculer mon capuchon pour mieux entendre. Maréchal, aussi intriguée que moi, en fait autant. Nous tendons l'oreille, le front barré, soucieux, les lèvres serrées. Nous écoutons, nous attendons. Je saisis Maréchal par le bras pour lui signifier que j'entends quelque chose. Elle me fait signe de la tête qu'elle aussi... Nous retenons notre respiration pour nous concentrer davantage. Le vent brouille les pistes. Parfois, nous ne savons plus si c'est lui qui hurle ou la meute de loups... Puis, le contact se refait à travers la grisaille. Je lis sur les lèvres de Maréchal qui m'interroge:

— Un avion?

Je fais signe que non. Aucun avion ne s'aventurerait dans cette région par un temps pareil, à moins d'être piloté par un cinglé. Le bruit se précise. J'en saisis un bout. Mon visage s'illumine et je m'exclame:

— Une motoneige!

Elle ouvre grands les yeux, ses joues s'arrondissent, se gonflent. Elle répète sans trop y croire:

— Une motoneige!

Et j'opine à nouveau car les pétarades se précisent et deviennent plus audibles, portées par le blizzard. La motoneige, sans doute lourdement chargée, progresse péniblement, en épousant le littoral de la rivière. Est-ce le trappeur qui revient à son camp? Ou un chasseur de caribou? Chose certaine, il vient vers nous. Les pétarades sont claires. Soudain, le phare tremblotant apparaît dans la grisaille. Il monte, descend, disparaît, puis refait surface. Nous savons que nous sommes au milieu de sa route et nous attendons, en silence, à la fois tendus et rassurés: nos peines sont enfin terminées. Une grande sérénité nous envahit doucement. Nous éprouvons un profond sentiment de bien-être, même si la tourmente s'acharne toujours autour de nous.

Le motoneigiste nous a vus. Il ralentit sa course, s'arrête à notre hauteur et enlève son casque. Sa figure ronde est marquée par la surprise et l'interrogation : qui sont ces deux *Qallunaats** enlacés au milieu de la piste, seuls, sans motoneige, et à des centaines de kilomètres du village ? Tout à coup, un éclair de compréhension s'allume dans ses yeux en amande, tandis qu'un joyeux sourire illumine son visage. Il me tape amicalement sur l'épaule, attrape Maréchal par le bras et lui fait une place dans son long *qamutik***. Puis il m'invite à monter derrière lui à cheval sur le siège.

La motoneige se fraie un chemin dans l'épaisse couche de neige folle. L'homme sait manifestement où il va. Il connaît bien les lieux et conduit lentement en direction de notre camp. J'ai tout le loisir de l'observer : il est court, rond, souple et semble fort comme un ours.

* Blancs, dans la langue des Inuits.

** Traîneau utilisé comme remorque derrière les motoneiges ou les attelages de chiens.

Arrivés à la cabane, nous l'aidons à décharger ses bagages avant d'entrer nous réchauffer. C'est autour d'une tasse de thé que s'effectuent les présentations et que je lui raconte enfin notre aventure. Joseppi a entendu parler de la disparition de notre *Beaver* et il a suivi, à la télévision et à la radio communautaire, le déroulement des recherches intensives organisées du côté d'Aupaluk. Notre présence dans le camp de chasse de son père, Adami, le remplit d'étonnement.

Joseppi arrive de Kangiqsualujjuaq, un village situé de l'autre côté de la baie d'Ungava. Il connaissait Lachance, le pilote, et les deux larrons, Aurèle et McAllister, car il travaille de temps à autre pour la Compagnie de la Baie d'Hudson. L'annonce de leur mort lui fait de la peine: ce sont des hommes qu'il estimait. Il serre chaleureusement les mains de Maréchal. Et tout au long de notre conversation, je constate qu'il l'observe discrètement du coin de l'œil. Il finit par nous confier qu'il connaît la France car il y est allé, une fois déjà, participer à une exposition de ses sculptures.

Le temps s'est arrêté tandis que nous conversons tous les trois avec bonheur. Pour Joseppi, c'est un grand événement de nous avoir retrouvés sains et saufs et il s'en réjouit. Cependant, il sait qu'il faut faire vite car il ne peut pas nous ramener avec lui. La route est longue et accidentée pour retourner au village : elle épouse le littoral de la grande rivière jusque dans la baie d'Ungava, coupe à travers des baies et traverse plusieurs rivières ainsi que quelques marais. À plusieurs endroits, la glace est encore mince et fragile. Elle ne supporterait donc pas une lourde caravane. À trois, il faudrait compter plusieurs jours de trajet hasardeux et bivouaquer en route.

Toutefois, Joseppi a un plan : il partira seul sur sa motoneige, sans traîneau, afin d'aller plus vite. Il nous laissera la plus grande partie de sa nourriture afin que nous puissions tenir jusqu'à son retour. Il affirme connaître la route sur le bout de ses doigts et même dans la bourrasque, il saura retrouver son chemin :

— Je suis comme un chien de traîneau, lance-t-il d'un ton enjoué. J'ai du flair, surtout quand il s'agit de rentrer à la maison !

Joseppi prend un bout de bannok* qu'il met au fond de son havresac, enfile ses kamiks** et son gros anorak. On dirait un cosmonaute prêt à se déplacer dans l'espace. Nous le suivons dehors tandis qu'il fait le plein d'essence. Puis, il arrime le bidon à son porte-bagages et démarre son engin. Nous nous serrons la main. À travers le vacarme du moteur, sa voix se veut rassurante :

— Dès mon arrivée, j'avertis la police. Ne vous inquiétez pas. Demain, au plus tard, vous serez secourus.

J'opine de la tête en disant :

— *Nakurmik****.

À son tour, il me répond :

— *Ilaali*****.

Puis il accroche sa carabine en bandoulière, enfourche sa motoneige et disparaît dans un nuage de neige. Nous nous retrouvons à nouveau seuls, Maréchal et moi, mais nous ne sommes plus en détresse.

* Pain des Inuits, semblable à la banique des Amérindiens.

** Bottes en peau de phoque des Inuits.

*** Merci, dans le langue des Inuits.

**** Bienvenue (de rien), dans la langue des Inuits.

25

La cinquième nuit

Maréchal a allumé la dernière bougie. Celle-ci jette une douce lumière dorée dans la cabane. Elle pose ensuite sur la table la boîte à biscuits en tôle remplie d'eau frémissante et revient s'asseoir devant moi. Je me demande ce que signifie tout ce rituel effectué dans un très grand silence, comme si nous étions dans un monastère. Elle prend une serviette de lin, en trempe un coin dans l'eau fumante, presse le surplus et, tout doucement, elle m'éponge le front, les tempes, les yeux et les joues. Dès la première sensation de l'eau sur mon visage, dès que sa main soyeuse se pose sur ma peau, mon corps se transforme et s'éveille, illuminé. Je suis envahi par une extraordinaire sensation de paix, de plénitude, de bien-être total.

À mon tour, je trempe l'autre serviette de lin dans l'eau et j'humecte délicatement son visage. Tandis que j'éponge ses yeux, elle ferme les paupières comme si elle s'abandonnait tout entière à mes gestes amoureux et en savourait la douceur. Je ne pense plus qu'à elle. J'ai la délicieuse sensation d'éclore, de m'ouvrir au soleil comme une fleur au printemps. Je caresse ses joues, je trace le contour de ses lèvres, je frôle sa peau pour la première fois. Nous n'avons plus aucune notion du temps, ni du passé, ni du présent, ni de l'avenir. Nos gestes s'effectuent avec une extrême lenteur. Je voudrais que cet instant dure longtemps, qu'il soit éternel.

La nuit est ponctuée de confidences et de monologues. Nous dormons peu et je nourris régulièrement le feu. C'est un ogre insatiable qui dévore tout ce que je lui donne. De temps à autre, nos yeux se tournent vers l'étroite fenêtre. Le paysage, impassible, est figé dans les griffes du froid polaire. Le ciel nous observe de son œil de cyclope. La forêt paraît peuplée d'ombres chinoises d'une étrange beauté. Nous sommes fascinés par le spectacle qui s'offre à nous.

Combien de jours se sont écoulés depuis l'accident? J'ai l'impression de vivre dans cette forêt depuis très longtemps. Nous décidons de compter les nuits au lieu des jours. Elles ne se ressemblent pas. On dirait que c'est sous le couvert des ténèbres que se jouent les drames, que se vivent les passions. Il y a eu la nuit du crash, la nuit des loups, la nuit où nous avons décidé de déménager, la nuit où Aurèle est mort, cette nuit... Est-ce possible que nous n'en soyons qu'à la cinquième?

Aurèle et McAllister reviennent constamment dans nos conversations. Maréchal dit :

— Il y a moins d'une semaine ces deux hommes étaient pour moi de parfaits inconnus. Je ne les avais même pas remarqués à l'aéroport. De jour en jour, d'heure en heure, je me suis attachée à eux, jusqu'à les aimer. Nous avons vécu dans une très grande intimité, comme une famille avec tous ses enfants dans la même chambre. J'aurais aimé les connaître encore longtemps, avoir le plaisir de les rencontrer à nouveau, au hasard d'une promenade, les saluer à l'occasion, les inviter à dîner...

Maréchal s'arrête un moment, comme pour réfléchir, puis elle reprend son monologue :

— Je me dis qu'à travers tous ces malheurs, j'ai une chance exceptionnelle, celle de découvrir, de comprendre, de vivre intensément. Je sens qu'Aurèle et McAllister étaient des êtres malheureux : ils ont fui toute leur vie. Je m'en voudrais tellement (elle insiste sur ces derniers mots) de me retrouver face à la mort avec, dans mon âme et mon cœur, le regret de ne pas avoir vécu... D'être passée sur la terre comme une ombre !

Elle répète à nouveau, rêveuse :

— Comme une ombre !

La chaleur qui nous enveloppe nous sécurise. L'ambiance est douce, feutrée, propice aux confidences. Je pense à mon père qui m'a montré non seulement à comprendre la nature, mais aussi à l'aimer, à la respecter et à en vivre. Il l'appelait « notre mère la terre » et disait toujours : « Si tu sais partager avec elle et tes frères, elle sera en retour généreuse pour toi. »

Quand nous allions à la chasse, je marchais derrière lui. Je l'observais et j'imitais ses moindres mouvements. Parfois nous nous arrêtions, figés au milieu du sentier, pour écouter, regarder, sentir. Au bout de quelques minutes, la forêt nous oubliait et nous nous confondions avec elle. Nous étions les arbres, le ruisseau qui coule, la perdrix qui s'envole, la feuille qui tombe. Des odeurs de pin et de mousse, mêlées à la chaleur du soleil, nous imprégnaient. Ma mère était institutrice à l'école de la réserve. Elle lisait pour moi, à haute voix, des livres qui me faisaient voyager dans d'autres pays. Elle disait qu'il y avait toujours quelque chose à découvrir, de l'autre côté de la montagne, sur l'autre rive de la rivière... ou sur l'autre page du livre. Le soir, à la lumière de la lampe Aladin, ma mère ouvrait mon cahier ligné pendant que mon père aiguisait minutieusement mon crayon à mine avec son canif.

— Trace bien tes lettres, disait-elle.

Et elle me récitait une à une chacune des lettres de l'alphabet. C'est ainsi que j'ai appris à écrire mon nom : Matchewen. Assis dans l'ombre, à l'autre bout de la table, mon père nous écoutait religieusement : il ne savait pas écrire et nous regardait, ému, sans dire un mot.

Je m'interromps et, de but en blanc, demande à Maréchal :

— Qu'est-ce qui t'a amenée dans le Nord ?

Ma question la fait rire :

— Je n'en sais rien, Matchewen ! Le Nord me fascine depuis mon enfance. J'ai toujours rêvé de steppes, de toundra, de froid et de neige ; les grands espaces, les peuples nordiques. Pour moi, ces mots ont toujours été imprégnés de mystère, de défi, de poésie. J'ai lu tous les récits d'aventures nordiques qui me sont tombés sous la main, les livres d'histoire, les biographies des grands explorateurs. J'étais passionnée par la conquête des pôles, l'ingéniosité et le courage des Inuits. Je connais Pytheas, Nansen, Peary, Cook, Amundsen, Hudson, Frobisher*...

Mais le goût de l'aventure, je le tiens de mon grand-père maternel. C'était un capitaine au long cours. À chaque retour

* Célèbres explorateurs des régions nordiques.

de voyage, il m'emmenait visiter son bateau. Ah ! Que c'était beau ! Surtout la cabine de pilotage. Je tenais l'énorme gouvernail à deux mains : un gouvernail rond comme la terre. Grand-papa déroulait ses cartes marines sur la grande table et nous refaisions ensemble ses longs voyages sur les océans.

Je lui disais : « Moi aussi, je partirai, un jour, et j'irai au Nord. »

Puis, ce printemps, j'ai lu dans une revue que l'école d'Aupaluk cherchait un professeur de français, j'ai sauté sur l'occasion. Aupaluk ! Je savais déjà où c'était : le bout du monde, la baie d'Ungava. J'avais la carte du Nunavik dans la tête. J'ai tout vendu, j'ai salué les amis, la famille, et me voilà ! Mais... (elle étire longuement ce mot), je t'avoue que c'est autre chose que ce que j'imaginais !

Nous nous mettons à rire. La veille, j'avais accroché le petit chapelet de bois à croix d'argent à un clou, au-dessus de la porte, en hommage à cette femme inconnue qui a préparé affectueusement la réserve de nourriture de la cabane. Saura-elle un jour qu'elle nous a sauvé la vie ? Sans son amour, sans sa prévoyance, nous serions déjà morts. C'est peut-être son esprit qui habite encore ce camp, qui lui donne sa chaleur. Je confie à Maréchal :

— Dès que j'ai ouvert cette boîte à biscuits, que j'ai vu les linges propres, finement brodés de fleurs de chicoutai, j'ai aimé cette femme. Elle a pensé à tous les aspects de la vie : la nourriture du corps et de l'âme. Quelle sagesse ! Quelle prévoyance ! Je l'imagine sous les traits de ma grand-mère, la mère de mon père, chaussée de ses mocassins en peau de caribou, vêtue de sa longue robe à carreaux, les épaules couvertes de son châle. Elle était petite, potelée. Elle avait les pommettes lisses et cuivrées, des yeux taquins et de longs cheveux argentés, montés en toque. Quand elle me parlait, elle posait le bout de son index sur sa lèvre inférieure, comme si elle me livrait chaque fois un secret.

26

Le vœu

Je jette fréquemment un coup d'œil dehors et je calcule les heures en essayant d'imaginer où est rendu Joseppi. Au milieu de la nuit, la tempête enfin se calme et le beau temps s'installe. J'espère qu'il en sera de même sur toute la côte.

Maréchal se lève pour admirer le paysage par la petite fenêtre. Nous sommes muets d'admiration devant ce spectacle : les étoiles, en suspension dans le ciel profond, tissent une immense toile d'araignée. À la frange de l'horizon, des reflets gris, bleus et verts dansent tout doucement et lèchent le ciel. Ils montent lentement et prennent des proportions gigantesques : ce sont des aurores boréales. Les lueurs s'agitent, s'enroulent, poussent soudainement des pointes avant de disparaître pour mieux réapparaître un peu plus loin. Le ciel tout entier s'illumine, s'embrase, se contorsionne. Nous en avons le souffle coupé.

À mes côtés, Maréchal est tout aussi impressionnée que moi. Je suis si près d'elle que je la sens vibrer. Nous nous rejoignons dans nos émotions, nos amours.

Mais au-delà de ce merveilleux spectacle, je sais que si nous demeurons éveillés, sur le qui-vive, c'est parce que nos pensées accompagnent Joseppi en train de braver le froid et la tempête, au risque de sa vie, seul à travers la périlleuse toundra arctique. Ses pires ennemis sont le froid, qui s'est intensifié au cours de la nuit, et le vent qui s'infiltre dans les moindres interstices des vêtements. Ce dernier mord et brûle sauvagement la peau des joues. Il gèle le nez, les pieds et les mains.

Pour tromper le temps qui passe, j'évoque pour Maréchal la piste qu'il doit suivre, sinueuse, parsemée d'embûches, de gros rochers et des débris de glace. Joseppi doit ralentir et fournir beaucoup d'efforts, conduire sa motoneige avec souplesse et prudence. Constamment sur le qui-vive, il s'accroche au guidon, le corps cambré. Debout sur les marchepieds ou bien un genou placé en travers du siège, en équilibre, il est toujours prêt à utiliser son corps en contrepoids.

Sur les lacs, Joseppi doit filer à plein régime. Mais il y a aussi les rivières d'eau vive, les marais et les baies. Ce sont les endroits les plus traîtres et il faut être un grand spécialiste de la glace pour parvenir à les traverser sans encombre. La glace est sournoise, imprévisible, surtout au début de l'hiver et au printemps. Il n'est pas rare d'entendre raconter qu'un motoneigiste pourtant chevronné a disparu à tout jamais, entraîné par le poids de son équipement, dans un gouffre profond.

Il faut observer la couleur de la glace, la texture de la neige et la configuration du terrain. Ce sont ces éléments qui indiquent le chemin le plus sécuritaire. Or Joseppi voyage la nuit... Aussi, même si nous avons une totale confiance en lui, nous ne pouvons nous empêcher d'être inquiets. Que se passera-t-il s'il a un accident? S'il casse un ski de sa motoneige ou si celle-ci tombe en panne?

À l'aube, un soleil radieux se lève rapidement au-dessus des têtes blanchies des épinettes noires. Nous ne tenons plus en place. Après avoir ingurgité une tasse de thé chaud et sucré ainsi qu'une bouchée de bannok laissés par Joseppi, nous nous habillons en moins de deux et nous quittons notre refuge. L'air froid, sec, a tout pétrifié. Le temps est d'une pureté cristalline, fluide comme de l'eau de source. L'hiver nordique s'impose et règne en tyran dans un silence absolu. Nous pourrions entendre tomber la moindre brindille, s'envoler le plus petit oiseau. Nos pas crissent dans la neige comme si nous marchions sur la peau d'un tambour. Notre haleine s'échappe, telle la fumée d'une cheminée, et se condense en jets de brume. Nous nous regardons en souriant, heureux de nous dégourdir les membres et de respirer l'air frais et vivifiant. J'interroge Maréchal :

— Ça va ?

— Oui ! Ça va très bien, répond-elle.

Nos voix se répercutent en écho dans la forêt.

— On se croirait dans un autre monde, ajoute Maréchal. Je trouve cela fascinant. Quel pays !

Le Grand Nord est un pays de paradoxes et de contrastes, tout peut arriver. Comment Joseppi aurait-il pu imaginer rencontrer un homme et une femme en détresse, au milieu de sa ligne de trappe, sur les rives de la rivière George ? Et pourtant, Maréchal et moi sommes bien là. Dans ce désert de glace, ce pays dur et exigeant, à la fois généreux et impardonnable, la vie représente un défi constant. Et c'est sans doute cette lutte constante pour survivre qui fait que nous nous attachons profondément à un pays, au point de ne plus vouloir le quitter. Y survivent uniquement ceux qui l'aiment passionnément, ceux qui le respectent et ceux qui le craignent.

J'ai à peine fini de parler qu'un vacarme assourdissant remplit le ciel au-dessus des arbres. Nous sommes, Maréchal et moi, littéralement écrasés, pris dans un tourbillon de neige. Les arbres vibrent et le sol tremble. Un énorme hélicoptère de la garde côtière vient de surgir. On dirait une monstrueuse libellule qui s'immobilise, suspendue dans les airs, au-dessus de notre clairière.

Nous reprenons nos esprits et levons la tête vers le ciel. Nous sommes observés. J'aperçois alors Joseppi souriant dans la bulle de l'hélicoptère. Il nous fait de grands signes des deux mains. À mon tour, je lui fais comprendre que tout va bien. Le puissant vrombissement nous écrase tandis que lentement l'appareil se pose dans notre clairière, soulevant d'aveuglantes rafales de neige folle. Nous courons nous mettre à l'abri devant notre cabane.

Maréchal pose ses mitaines à plat sur mon estomac. Je la tiens par les épaules.

— Je peux te le dire maintenant, mon vœu! me confie-t-elle. Quand j'ai vu l'étoile filante, j'ai souhaité ne plus jamais quitter ce beau pays. C'est ici que je veux réaliser mon rêve. J'aurais toutes les raisons du monde d'avoir peur. Pourtant, c'est le contraire qui se passe. Je me sens étrangement bien, rassurée. Je ressens une profonde paix intérieure, pour la première fois de ma vie. J'ai l'impression d'être comme cette roche, immobile mais si présente, comme ces épinettes qui se balancent au vent, comme ce flocon de neige qui voltige et se pose sur le sol. Et dans cette harmonie, j'éprouve une rage de vivre, de foncer, de relever tous les défis...

J'interromps ce flot de paroles :

— Maréchal, veux-tu continuer à faire équipe avec moi ?

La réponse fuse aussitôt :

— Oui !

— Pour la vie ?

— Oui, pour la vie !

Table des matières

Les titres de la collection Atout

1. *L'Or de la felouque*** Yves Thériault
2. *Les Initiés de la Pointe-aux-Cageux*** Paul de Grosbois
3. *Ookpik*** Louise-Michelle Sauriol
4. *Le Secret de La Bouline** Marie-Andrée Dufresne
5. *Alcali*** Jo Bannatyne-Cugnet
6. *Adieu, bandits !** Suzanne Sterzi
7. *Une photo dans la valise** Josée Ouimet
8. *Un taxi pour Taxco*** Claire Saint-Onge
9. *Le Chatouille-cœur** Claudie Stanké
10. *L'Exil de Thourème*** Jean-Michel Lienhardt
11. *Bon anniversaire, Ben!** Jean Little
12. *Lygaya** Andrée-Paule Mignot
13. *Les Parallèles célestes*** Denis Côté
14. *Le Moulin de La Malemort** Marie-Andrée Dufresne
15. *Lygaya à Québec** Andrée-Paule Mignot
16. *Le Tunnel*** Claire Daignault
17. *L'Assassin impossible** Laurent Chabin
18. *Secrets de guerre*** Jean-Michel Lienhardt
19. *Que le diable l'emporte !*** Contes réunis par Charlotte Guérette
20. *Piège à conviction*** Laurent Chabin
21. *La Ligne de trappe*** Michel Noël
22. *Le Moussaillon de la* **Grande-Hermine*** Josée Ouimet

23/23. *Joyeux Noël, Anna** Jean Little

24. *Sang d'encre*** Laurent Chabin

25/25. *Fausse identité*** Norah McClintock

26. *Bonne Année, Grand Nez** Karmen Prud'homme

27/28. *Journal d'un bon à rien*** Michel Noël

29. *Zone d'ombre*** Laurent Chabin
30. *Alexis d'Haïti*** Marie-Célie Agnant
31. *Jordan apprenti chevalier** Maryse Rouy
32. *L'Orpheline de la maison Chevalier** Josée Ouimet
33. *La Bûche de Noël*** Contes réunis par Charlotte Guérette

34/35. *Cadavre au sous-sol*** Norah McClintock

* Lecture facile

** Lecture intermédiaire